Qual é a tua obra?

Dados Internacionais de Catalogação na Publicação (CIP)
(Câmara Brasileira do Livro, SP, Brasil)

Cortella, Mario Sergio
    Qual é a tua obra? : inquietações propositivas sobre gestão, liderança e ética / Mario Sergio Cortella. 20. ed. – Petrópolis, RJ : Vozes, 2013.

    ISBN 978-85-326-3579-2

    1. Administração 2. Ética 3. Liderança I. Título.

07-7261   CDD-100

Índices para catálogo sistemático:
1. Filosofia   100

Mario Sergio Cortella

Qual é a tua obra?

Inquietações propositivas sobre gestão,
liderança e ética

VOZES

Diretor editorial
Frei Antônio Moser

Editores
Aline dos Santos Carneiro
José Maria da Silva
Lídio Peretti
Marilac Loraine Oleniki

Secretário executivo
João Batista Kreuch

Concepção e organização: Janete Leão Ferraz
Edição: Paulo Jebaili

Editoração: Elaine Mayworm
Projeto gráfico: bembolado
Capa: 2 Estúdio Gráfico

ISBN 978-85-326-3579-2

Editado conforme o novo acordo ortográfico.

Este livro foi composto e impresso pela Editora Vozes Ltda.

Sumário

Prefácio

Ana Carolina Rocha Cortella Krämer

Antes de iniciar a leitura do original deste livro, evidentemente pensei em qual seria a resposta ao seu título. Difícil tarefa...

Decidi, então, lê-lo para saber se a resposta estaria inserida no corpo do texto. Ao iniciar a aprazível leitura, que eu sabia que estaria por vir, notei que os temas centrais do livro eram realmente envolventes – gestão, liderança e ética. Devorei-o! Estava certa. Além de serem interessantes, nada mais prazeroso do que ler uma obra de quem você realmente admira.

Para quem conhece seu autor há mais de 27 anos, é possível, ao ler estas páginas, imaginar e visualizar o movimento dos lábios e os gestos italianos das enormes mãos de meu pai enquanto ele profere uma de suas – a despeito de minha parcialidade – brilhantes palestras, que felizmente já tive a felicidade de assistir. Chega a ser até engraçado, pois uma das coisas mais presentes durante a minha leitura foi conseguir ouvir a voz dele enquanto lia seu livro. Era como se, ao invés de lê-lo, eu o estivesse assistindo, pois podia vê-lo e ouvi-lo.

Sempre fui assim ao ler livros: construo imagens de seus personagens, crio vozes para eles, imagino os ambientes, as características... mas, nesse caso, não foi necessário, pois o personagem mais presente para mim já era meu "velho" conhecido.

Ao terminar a leitura, lembrei-me de um comentário que fiz a ele quando, como advogada criminalista, fui sustentar oralmente pela primeira vez um *habeas corpus*: "Ai pai, como eu queria ter a facilidade que você tem para falar em público, escrever..." E ele me respondeu: "Não se preocupe, quando você falar durante mais de trinta anos em público, será como eu".

Achei ótimo! É verdade! Às vezes, temos a ânsia de sermos algo que não tivemos sequer tempo ou maturidade para desenvolvermos, mas a verdade é que hoje estamos na era dos "tempos velozes".

Fiquei com aquela minha indagação inicial: Qual é a minha obra? É ser reconhecida? Tornar-me uma Rocky Balboa? Aprender a aprender? Saber o significado da minha *poiesis*? Construir uma nova competência? Distinguir o líder do chefe? Enfrentar a jornada do herói? Saber a diferença entre erro e negligência? Saber que não sei? Ser humilde? Saber aproveitar as oportunidades? Enfrentar o medo da mudança? Saber o tamanho que tenho dentro do planeta? Saber o que a satisfação faz com a gente? Saber a velocidade das mudanças? Combater o bom combate?

Confesso que não cheguei a uma conclusão definitiva. Até porque, além de serem muitos os questionamentos, eles entram no campo filosófico. É que, como na resposta a mim dada, quando criança, ao perguntar o que afinal era Filosofia, ele disse: "Filha, como brincamos entre nós, os acadêmicos, às vezes pode ser um cego, em um quarto escuro, procurando um gato preto, onde não há gato algum..."

Ora, *data venia* (como dizemos de praxe), nem sempre é assim; em muitos casos (e neste livro especialmente) surgem também "inquietações propositivas".

Qual é a nossa obra? É o futuro, pai.

GESTÃO

Em busca de sentido

Enxergar um significado maior na vida aproxima o tema da espiritualidade do mundo do trabalho.

Ultimamente tem-se falado em empresa espiritualizada, líder espiritualizado. A crescente frequência com que esses termos têm adentrado no universo corporativo pode ser interpretada como um indício de que uma busca por um novo modo de vida e convivência está em curso?

É um sinal, que às vezes é positivo, outras vezes não, porque se pode cair numa dimensão esotérica, que é perigosa. Mas a espiritualidade no mundo do trabalho é necessária. O que é a espiritualidade? É a sua capacidade de olhar que as coisas não são um fim em si mesmas, que existem razões mais importantes do que o imediato. Que aquilo que você faz, por exemplo, tem um sentido, um significado. Que a noção de humanidade é uma coisa mais coletiva, na qual se tem a ideia de pertencimento e que, portanto, o líder espiritualizado – mais do que aquele que fica fazendo meditações e orações – é aquele capaz de olhar o outro como o outro, de inspirar, de elevar a obra, em vez de simplesmente rebaixar as pessoas. Então, essa espiritualidade é a capacidade de respeitar o outro como o outro e não como um estranho e edificar, em conjunto, um sentido (como significado e direção) que honre nossa vida.

O líder espiritualizado, com alguma frequência e especialmente em alguns livros, aparece como alguém próximo a um místico. Isso é muito negativo, porque a mística, vez ou outra, deriva para o campo do fanatismo e deixa de ser radical (isto é, de ir até as raízes, saindo da superfície), passando a ser sectária, desagregadora, o que é uma coisa deletéria.

O desejo por espiritualidade é um sinal de descontentamento muito grande com o rumo que muitas situações estão tomando e, por isso, é uma grande queixa. E a espiritualidade vem à tona quando você precisa refletir sobre si mesmo; aliás, a espiritualidade é precedida pela angústia. De maneira geral, a angústia é um sentimento sem objeto. Quando você fica triste, é por alguma coisa. Quando você está alegre, é por algum motivo. A angústia se sente e não identifica o objeto. Você se levanta e "não sei o que está acontecendo, estou com uma coisa, um aperto aqui no peito". É uma sensação de "vazio interior".

Martin Heidegger, grande filósofo alemão do século XX, dizia que a angústia é a sensação do nada. E ela é positiva num ponto, pois o nada é a possibilidade plena. Quando se pode sentir o "nada", todas as opções se apresentam e todos os horizontes são possíveis. É um jogo que fazemos em Filosofia, mas que tem um fundo forte de reflexão, na medida em que, na prática, você está dizendo o seguinte: a espiritualidade é a resposta a um desejo forte de a vida ter sentido, de ela não se esgotar nem naquele momento, nem naquele trabalho.

Ora, há certo exagero na postura que não identifica no trabalho qualquer forma de prazer. Ao contrário, a noção de prazer não é só a fruição imediata, mas é a de sentir-se bem no lugar. E são milhares e milhares de pessoas que se sentem bem fazendo o que fazem, nos hospitais, nas fábricas, nas redações, nas escolas. Nós, inclusive, temos o hábito de, quando alguém sai de casa, dizer "bom trabalho", como se fosse "bom passeio'", como uma forma de comunicação.

Claro, nenhum de nós deixa de ter dissabores em relação ao cotidiano, mas a causa não é o trabalho em si. A questão é que as grandes metrópoles vêm hoje, de fato, furtando muito tempo da vida cotidiana das pessoas. Não pelo número de horas que você passa no trabalho, mas especialmente porque o deslocamento nas grandes cidades para se trabalhar – como no Rio de Janeiro, em São Paulo e Porto Alegre, por exemplo – toma duas, três horas, no mínimo, do seu dia a dia apenas para se chegar ao local de trabalho. Esse número de horas se agrega à ideia de que você está trabalhando. Nós não teríamos a mesma percepção se fossemos à praia, ou a um *show*, ou ao cinema. Aliás, a própria legislação trabalhista considera que o seu deslocamento em direção ao posto de trabalho, assim como o retorno, fazem parte do trajeto de trabalho. Não é pago como hora extra, mas é trajeto de trabalho para efeito de acidente, de ocorrência, e assim por diante.

Em relação ao mundo do trabalho, eu não tenho nem uma visão catastrofista nem uma visão triunfalista. Acredito que nós estamos hoje com uma crise no conjunto da vida social, do qual o trabalho é apenas um pedaço. Mas não é só o trabalho; a família também, o modo como se lida com os meios de comunicação, a relação entre as gerações, a própria escola. Então, nós estamos em um momento de transição, de turbulência muito forte em relação aos valores. Dessa forma, insisto, o mundo do trabalho é um mundo no qual também cabe a alegria, a fruição.

Temos carência profunda e necessidade urgente de a vida ser muito mais a realização de uma obra do que de um fardo que se carrega no dia a dia.

Tripalium versus poiesis

A ideia de trabalho como castigo precisa ser substituída pelo conceito de realizar uma obra.

Por que muitas vezes a ideia de trabalho é associada a castigo, fardo, provação? Do ponto de vista etimológico, a palavra "trabalho" (assim como em francês, espanhol e italiano) tem origem no vocábulo latino *tripalium*, que era um instrumento de tortura, ou seja, três paus entrecruzados para serem colocados no pescoço de alguém e nele produzir desconforto. A origem do Ocidente é o mundo greco-romano. Se pegarmos, por exemplo, o período do século II a.C. até o século V, teremos a formação da sociedade clássica greco-romana com as heranças que o mundo grego havia gerado. Essa sociedade cresceu em sua exuberância a partir do trabalho escravo. Em sociedades assim, montadas com base no sistema escravocrata, a própria ideia de trabalho remete à escravidão. Portanto, trabalho é coisa menor, indecente, imoral ou de gente que está sendo punida.

Tivemos, depois, o mundo medieval em que a relação foi senhor e servo. Substitui-se, num determinado momento, a ideia de trabalho pela de servidão. Não há mais o escravo, mas há o servo, que precisa trabalhar um pouco para ele e o restante para o senhor dele. Persiste o esquema de dependência. O mundo capitalista europeu substituiu o trabalho escravo na Europa pelo trabalho escravo fora da Europa. Continuamos, portanto, com a mentalidade escravocrata. O mundo ocidental no Brasil e nos Estados Unidos, por exemplo, foi todo construído sob a lógica da exploração do outro.

Nessas sociedades só nos faltava uma concepção religiosa na qual o trabalho aparecesse como castigo, e isso o judaísmo nos ofereceu. O mundo semita trouxe essa ideia à tona, porque a religiosidade semítica expressa no mundo hebraico vai trazer a ideia do trabalho como castigo. Afinal de contas, qual foi o grande crime de Adão e Eva? Eles desobedeceram à divindade. A mulher recebeu uma condenação: "Vais pagar com as dores do parto pelo teu erro". E o homem recebeu outra condenação: "Vais trabalhar". A primeira coisa que Adão e Eva percebem quando traem a divindade, segundo o relato religioso hebraico, é que estão nus. E isso não é um empecilho moral, porque aquela sociedade não tinha problema com aquele tipo de nudez. O problema de perceber-se nu é que você se dá conta de que tem corpo. E, ao perceber que tem corpo, você tem de sustentar o corpo, alimentá-lo, cuidá-lo, abrigá-lo etc. Para tal, vai ter de trabalhar. Então, do ponto de vista da religiosidade originária no Ocidente, a ideia do trabalho continua como castigo.

Se isso está no campo da religião, no campo da Filosofia a noção mais forte em relação à definição de humano é dada por Aristóteles, que, no século V a.C., diz: "O homem é um animal racional". Ou seja, o que define a humanidade de alguém – e, portanto, a sua dignidade – é a capacidade de dedicar-se ao pensamento e não às obras manuais. A tal ponto que, no mundo escravocrata da filosofia e da ciência gregas, não se faziam trabalhos manuais. Platão, um dos maiores pensadores da história, desprezava o trabalho manual. De tal modo que ele achava que, quando se estabelecessem os infernos, aqueles que deveriam ficar junto com os escravos lá eram os pintores, os escultores, todos aqueles que fossem da elite, mas que desenvolvessem alguma atividade com as mãos. O mundo da Antiguidade, que é a base da nossa sociedade ocidental, coloca o trabalho como um castigo do ponto de vista moral-religioso ou uma concepção de castigo a partir da vontade dos deuses na cultura grega.

O mundo medieval que terá Deus no centro, especialmente na Europa – o teocentrismo avançado –, vai colocar a ideia de que bom é ser o senhor; o servo está sempre na posição de submissão. O mundo capitalista vai introduzir outra relação, diferente daquela de senhor e escravo ou servo e suserano. Esta relação, bem trabalhada pelo pensador alemão Karl Marx, será entre patrão e empregado. A escravatura não vai acontecer nesse mundo europeu, mas sim na América e na África. O Brasil até hoje não se recuperou da formação escravagista. Nós ainda consideramos o trabalho manual como tarefa de inferiores.

Quer ver um exemplo? Você diz para o seu filho ou sua filha: "Você não está estudando? Sabe o que vai ser na vida? Você não vai ser ninguém, vai ser faxineiro". O trabalho manual como castigo, o trabalho que estafa, vai aparecer fortemente no mundo ocidental como uma decorrência moral dos que não têm misericórdia.

O mundo protestante luterano e calvinista no século XVI vai trazer uma outra inflexão. Vai colocar o trabalho, o que nasce junto com o capitalismo, como a continuidade da obra divina. Nesse sentido, o trabalho para acumular e guardar será extremamente valorizado. Não é casual que essa ética, tão bem estudada por Max Weber, em *Ética protestante e o espírito do capitalismo* (uma obra do século XIX, mas de uma atualidade brutal no século XXI) vai diferenciar inclusive os modos de organização da sociedade no Ocidente: aquelas com uma ética mais protestante e aquelas com uma ética católica, apoiada na lógica de que só a pobreza salva.

O trabalho como castigo persiste. Tanto que a maior parte das pessoas diz: "Quando eu parar de trabalhar, eu vou fazer isso, isso e isso". Sendo que isso é uma ilusão, porque você pode dizer: "Quando eu não tiver dependência em relação ao trabalho, eu vou fazer isso". Mas parar de trabalhar, você não vai parar nunca. Nem pode. Porque você nunca deixará de fazer a sua obra. Seja a sua obra aquela que você faz para continuar existindo, seja para ter o seu reconhecimento. **Eu me vejo naquilo que faço, não naquilo que penso.** Eu me vejo aqui, no livro que escrevo, na comida que eu preparo, na roupa que eu teço.

Etimologicamente, a palavra "trabalho" em latim é *labor*. A ideia de *tripalium* aparecerá dentro do latim vulgar como sendo, de fato, forma de castigo. Mas a gente tem de substituir isso pela ideia de obra, que os gregos chamavam de *poiesis*, que significa minha obra, aquilo que faço, que construo, em que me vejo. **A minha criação**, na qual crio a mim mesmo na medida em que crio no mundo.

Vejo o meu filho como minha obra, vejo um jardim como minha obra. Tenho de ver o projeto que faço como minha obra. Do contrário, ocorre o que Marx chamou de alienação: todas as vezes que eu olho o que fiz como não sendo eu ou não me pertencendo, eu me alieno. Fico alheio. Portanto, eu não tenho reconhecimento. Esse é um dos traumas mais fortes que se tem atualmente.

Todas as vezes que aquilo que você faz não permite que você se reconheça, seu trabalho se torna estranho a você. As pessoas costumam dizer "não estou me encontrando naquilo que eu faço", porque o trabalho exige reconhecimento – conhecer de novo.

Hoje, quando penso em um trabalho de qualidade de vida numa empresa, estou pensando em um trabalho que não seja alienado. Trabalhar cansa, mas não necessariamente precisa gerar estresse. Isso tem a ver com resultado, trabalho tem sempre a ver com resultado.

Por que um bombeiro, que não ganha muito e trabalha de uma maneira contínua em algo que a maioria de nós não gostaria de fazer, volta para casa cansado, mas de cabeça erguida? Por causa do sentido que ele vê no que faz. Por causa da obra honesta, a serviço do outro, independentemente do *status* desse outro, da origem social, da etnia, da escolaridade etc.

Aí, não é suplício.

E tem gente que se acha...

Física quântica: indicada para casos crônicos de falta de humildade.

Quando se pensa e se faz o trabalho como *obra* poética em vez de sofrimento contumaz, sempre vem à mente a questão do "trabalho digno", isto é, aqueles ou aquelas que se consideram superiores como seres humanos apenas porque têm um emprego socialmente mais valorizado.

Aliás, é sempre nesses casos que entra em cena o famoso "sabe com quem você está falando?"

Um dia procurei representar uma possível resposta científica a essa arrogante pergunta, e, de forma sintética, registrei essa representação em um livro meu chamado *A escola e o conhecimento* (Cortez); agora, de forma mais extensa e coloquial, aqui vai esse relato, partindo do nosso lugar maior, o universo, até chegar a nós.

Hoje, em física quântica, não se fala mais um universo, mas em multiverso. A suposição de que exista um único universo não tem mais lugar na Física. A ciência fala em multiverso e que estamos em um dos universos possíveis. Este tem provavelmente o formato cilíndrico, em função da curvatura do espaço, portanto, ele é finito e tem porta de saída, que são os buracos negros, por onde ele vai minando e se esvaziando. Até 2002, era quase certo que o nosso universo fosse cilíndrico, hoje já há alguma suspeita de que talvez não. Mas a teoria ainda não foi derrubada em sua totalidade. Supõe-se que este universo possível em que estamos apareceu há 15 bilhões de anos. Alguns falam em 13 bilhões, outros em 18, mas a hipótese menos implausível no momento é que estamos num universo que apareceu há 15 bilhões de anos, resultante de uma grande explosão, que o cientista inglês Fred Hoyle apelidou de gozação de *big-bang*, e esse nome pegou.

Qual é a lógica? Há 15 bilhões de anos, é como se se pegasse uma mola e fosse apertando, apertando, apertando até o limite, e se amarrasse com uma cordinha. Imagine o que tem ali de matéria concentrada e energia retida! Supostamente, nesse período, todo o nosso universo estava num único ponto adensado, como uma mola apertada e, então, alguém, alguma força – Deus, não sei, aqui a discussão é de outra natureza – cortou a cordinha. E aí, essa mola, o nosso universo, está em expansão até hoje. E haverá um momento em que ele chegará ao máximo da elasticidade e irá encolher outra vez. A ciência já calculou que o encolhimento acontecerá em 12 bilhões de anos. Fique tranquilo, até lá você já estará aposentado pelas novas regras.

Você pode cogitar algo que a Física tem como teoria: ele vai encolher e se expandir outra vez. Talvez haja uma lei do universo em que o movimento da vida é expansão e encolhimento. Como é o nosso pulmão, como bate o nosso coração, com sístole e diástole. Como é o movimento do nosso sexo, que expande e encolhe, seja o masculino seja o feminino. Parece que existe uma lógica nisso, que os orientais, especialmente os chineses e os indianos, capturaram em suas religiões, aquela coisa do inspirar e expirar. Parece haver uma lógica nisso, a ciência tem isso como hipótese.

Assim, há 15 bilhões de anos, houve uma grande explosão atômica, que gerou uma aceleração inacreditável de matéria e liberação de energia. Essa matéria se agregou formando o que nós, humanos, chamamos de estrelas e elas se juntaram, formando o que chamamos de galáxias (do grego *galaktos*, leite). A ciência calcula que existam em nosso universo aproximadamente 200 bilhões de galáxias. Uma delas é a nossa, a Via Láctea, que é "leite", em latim. Aliás, nem é uma galáxia tão grande; calcula-se que ela tenha cerca de 100 bilhões de estrelas. Portanto, estamos em uma galáxia, que é uma entre 200 bilhões de galáxias, num dos universos possíveis e que vai desaparecer.

Nessa nossa galáxia, repleta de estrelas, uma delas é o que agora chamam de estrela-anã, o Sol. Em volta dessa estrelinha giram algumas massas planetárias sem luz própria, nove ao todo, talvez oito (pela polêmica classificação em debate). A terceira delas, a partir do Sol, é a Terra. O que é a Terra?

A Terra é um planetinha que gira em torno de uma estrelinha, que é uma entre 100 bilhões de estrelas que compõem uma galáxia, que é uma entre outras 200 bilhões de galáxias num dos universos possíveis e que vai desaparecer. Veja como nós somos importantes...

Aliás, veja como nós temos razão de nos termos considerado na história o centro do universo. Tem gente que é tão humilde que acha que Deus fez tudo isso só para nós existirmos aqui. Isso é que é um Deus que entende da relação custo-benefício. Tem indivíduo que acha coisa pior, que Deus fez tudo isso só para **esta pessoa** existir. Com o dinheiro que carrega, com a cor de pele que tem, com a escola que frequentou, com o sotaque que usa, com a religião que pratica.

Nesse lugarzinho tem uma coisa chamada vida. A ciência calcula que em nosso planeta haja mais de trinta milhões de espécies de vida, mas até agora só classificou por volta de três milhões de espécies. Uma delas é a nossa: *homo sapiens*. Que é uma entre três milhões de espécies já classificadas, que vive num planetinha que gira em torno de uma estrelinha, que é uma entre 100 bilhões de estrelas que compõem uma galáxia, que é uma entre outras 200 bilhões de galáxias num dos universos possíveis e que vai desaparecer?

Essa espécie tem, em 2007, aproximadamente 6,4 bilhões de indivíduos. **Um deles é você.**

Você é um entre 6,4 bilhões de indivíduos, pertencente a uma única espécie, entre outras três milhões de espécies classificadas, que vive num planetinha, que gira em torno de uma estrelinha, que é uma entre 100 bilhões de estrelas que compõem uma galáxia, que é uma entre outras 200 bilhões de galáxias num dos universos possíveis e que vai desaparecer.

É por isso que todas as vezes na vida que alguém me pergunta: "Você sabe com quem está falando?", eu respondo: "Você tem tempo?"

O lado bom de não saber

Reconhecer o desconhecimento sobre certas coisas é sinal de inteligência e um passo decisivo para a mudança.

Uma das coisas mais inteligentes que um homem e uma mulher podem saber é **saber que não sabem**. Aliás, só é possível caminhar em direção à excelência se você souber que não sabe algumas coisas. Porque há pessoas que, em vez de ter humildade para saber que não sabem, fingem que sabem. Pior do que não saber é fingir que sabe. Quando você finge que sabe, impede um planejamento adequado, impede uma ação coletiva eficaz. Por isso, a expressão "não sei" é um sinal de absoluta inteligência.

Essa é uma regra básica da vida: quando você está no fundo do poço, a primeira coisa que precisa para sair de lá é parar de cavar. E a pá que continua cavando é, ao não saber, fingir que sei. Fingir para quem? Não existe auto-engano. Isso significa que quando alguém diz "não sei", é um sinal de inteligência. Aliás, a pessoa humilde é capaz de ter dúvida, e isso é motor da mudança. Cuidado com gente que não tem dúvida. Gente que não tem dúvida não é capaz de inovar, de reinventar, não é capaz de fazer de outro modo. Gente que não tem dúvida só é capaz de repetir. Cuidado com gente cheia de certeza. Num mundo de velocidade e mudança, imagine se você ou eu somos cheios de certeza a dificuldade que isso nos carrega. Claro, você não pode ser alguém que só tem dúvida, mas não tê-las é sinal de tolice. "Será que estou fazendo do melhor modo? Da maneira mais correta? Será que estou fazendo aquilo que deve e pode ser feito?"

Só seres que arriscam erram. Não confunda erro com negligência, desatenção e descuido. Ser capaz de arriscar é uma das coisas mais inteligentes para mudar. Você não tem de temer o erro. Tem de temer a negligência, a desatenção e o descuido. Erro é para ser corrigido, não para ser punido. O que se pune é negligência, desatenção e descuido. Quem inventou a lâmpada elétrica de corrente contínua foi Thomas Edison, sabemos. O que nem sempre se tem ideia é que ele fez 1.430 experiências antes de chegar à lâmpada que deram errado. Ele inclusive registrou: inventei 1.430 modos de não fazer a lâmpada. Porque é muito importante também saber o que não fazer. Ele aprendeu que o fracasso não acontece quando se erra, mas quando se desiste face ao erro.

Nenhum e nenhuma de nós é capaz de fazer tudo certo o tempo todo de todos os modos. Por isso, você só conhece alguém quando sabe que ele erra, e quando ele erra e não desiste. E dizem: ah, é por isso que a gente aprende com os erros? Não, a gente não aprende com os erros. A gente aprende com a correção dos erros. Se a gente aprendesse com os erros, o melhor método pedagógico seria errar bastante. (É bom lembrar que todo cogumelo é comestível. Alguns apenas uma vez.)

Num mundo competitivo, para caminhar para a excelência é preciso fazer o melhor, no lugar de, vez ou outra, contentar-se com o possível. E isso exige humildade e exige que coloquemos em dúvida as práticas que já tínhamos. Porque se as práticas que tínhamos e temos no dia a dia fossem suficientes, estaríamos melhores.

Para ser capaz de uma mudança cada vez mais significativa e positiva é necessário ter humildade. Só quem acha que já sabe acaba caindo na armadilha perigosa que é não dar passos adiante.

De onde vem a palavra "humildade"? De *humus*, que é terra fértil e, na origem, significa o "solo sob nós". Em outras palavras, húmus é o nível em que nós estamos. A palavra "humildade" é a mesma da origem *humus*, da qual deriva a palavra "humano". Cada homem e cada mulher tem o mesmo nível de dignidade, de possibilidade de ação. No Livro do Gênesis, os hebreus registraram frase atribuída a Javé quando expulsou o casal primordial e repreendeu Adão: "No suor do teu rosto comerás o pão, até voltares ao solo, pois dele foste tirado. Sim, és pó e ao pó voltarás" (Gn 3,19): "Do pó viemos, ao pó voltaremos". Isso significa que estamos todos no mesmo nível. Humildade, humano, húmus – estamos no mesmo nível em relação à nossa dignidade. Existem pessoas que não têm essa percepção, elas não conseguem aproveitar as oportunidades porque não têm humildade.

Qual o contrário de humildade? Arrogância. Gente arrogante é gente que acha que já sabe, que acha que não precisa aprender, que costuma dizer: **"Há dois modos de fazer as coisas, o meu ou o errado. Escolha você"**.

Gente arrogante não ouve discordância e não consegue crescer.

Nós somos um animal arrogante. Há pessoas que se recusam à mudança porque acham que já estão prontas. "Pode deixar, eu sei o que eu faço", dizem com relativa frequência. Uma das fases mais perigosas da vida de nossos filhos é quando eles têm 15 anos, 16 anos, porque se acham invulneráveis, que nada vai acontecer a eles. Ficam arrogantes em excesso. "Cuidado, filho." Ele responde: "Pai, pode deixar, eu sei o que eu faço". Ou: "Filha, olha lá". A resposta: "Pode deixar, isso nunca aconteceu". E aquele que se considera invulnerável, ele pode se arriscar e se machucar, pois essa arrogância é típica da idade. É perigosíssima!

Arrogância é um perigo porque ela altera inclusive a nossa capacidade de aprender com o outro, de entrar em sintonia. Bons músicos não fazem uma boa orquestra a menos que eles tenham sintonia. E essa sintonia vem quando as pessoas respeitam a atividade que o outro faz e querem atuar de forma integrada. Se há uma coisa que liquida uma orquestra é arrogância.

Por que com empresa seria diferente?

Estoque de conhecimento

*Educação continuada pressupõe
a capacidade de dar vitalidade
às competências, às habilidades,
ao perfil das pessoas.*

O fato de nunca sabermos tudo, ao mesmo tempo e de todos os modos, não significa que nada saibamos. A clássica frase socrática "só sei que nada sei" indica mais a humildade de saber-se individualmente ignorante em quase tudo do que declaração de incapacidade absoluta.

Certa vez, fui perguntado como trataria a educação corporativa se fosse líder de uma empresa. A educação corporativa seria uma questão prioritária, mas não exclusiva. Afinal de contas, uma empresa precisa ter sustentabilidade de sua lucratividade, rentabilidade, produtividade e competitividade. A sustentabilidade nesses quatro tópicos advém de uma série de fatores: competência que ela desenvolve dentro do mercado, o tipo de produto com o qual ela lida, a capacidade de planejamento estratégico, mas depende também essencialmente do modo como ela maneja o estoque de conhecimento que dentro dela atua, que está exatamente nos colaboradores. Hoje, o trabalho das pessoas não pode mais ser entendido como *commodity*. Por isso, eu, se presidente de empresa fosse, faria da formação continuada algo prioritário, porque é nisso que se dá hoje a diferenciação no que se refere ao conjunto das organizações.

Essa educação continuada pressupõe a capacidade de dar vitalidade à ação, às competências, às habilidades, ao perfil das pessoas. E isso, entre outras coisas, traz uma multiplicidade de elementos, desde treinamentos até cursos de formação e especializações. E também a formação da sensibilidade, que é uma coisa central atualmente no mundo do trabalho, isto é, a facilitação de atividades que envolvam a sensibilidade estética no campo da música, da poesia, das artes plásticas, de maneira que aquele ou aquela que atue em uma empresa tenha inclusive um prazer grande pela estrutura de conhecimento em seus múltiplos níveis. Eu faria isso como presidente. Aliás, as empresas que estão indo céleres em direção ao futuro são aquelas em que o presidente faz isso. Se a liderança não estiver voltada para dar uma prioridade a essa temática da formação contínua, o máximo que ela terá é sucesso extemporâneo.

Há uma discussão nesse ponto, em que alguns argumentam que o fato de a empresa investir em cursos não significa necessariamente que ela vai estar mais bem preparada. Teria de ter aplicabilidade. Eu digo que a relação não é direta. Mas o inverso é direto. Isto é, investir em cursos, em formação, não significa que a empresa estará

mais bem preparada porque não é automático. O contrário é automático: não investir na formação implica uma
perda significativa da competência e da qualidade. Há uma
clássica frase que diz: "Se você não acredita que educação
é um bom investimento, tente investir em ignorância". Não
existe uma relação direta, linear, entre formação e aumen-
to de competitividade, porque isso não é algo isolado que
se coloque num ponto de vista exclusivo. Por isso, observo
que um presidente precisa dar prioridade, mas não exclu-
sividade, porque isso dependerá também dos equipamentos que se tem, da postura dentro do mercado, da capacidade de análise de cenários futuros e assim por diante. Se
assim fosse, as melhores estruturas de organização seriam
as universidades, afinal de contas, elas lidam o tempo todo
com pesquisa, com educação continuada etc., e não necessariamente as universidades são as melhores organizações em termos de sustentabilidade.

Hoje, no mundo do trabalho, fala-se menos na formação de um generalista e mais na formação de um multiespecialista. Não se trata apenas de uma diferenciação
de linguagem. É menos uma pessoa que esteja voltada
para uma visão apenas genérica das coisas, mas aquele ou
aquela que ganha autonomia para construir uma nova
competência. Isto é, a clássica expressão usada pelo filósofo norte-americano que trabalhou na área de educação, John Dewey, que nos primórdios do século XX dizia:
"É preciso aprender a aprender". Aquele ou aquela que
aprende a aprender ganha autonomia. Por isso não se pode
atuar no campo empresarial apenas para formação estra-

tégica, porque ela trabalha num prazo mais dilatado. Também não se pode ser imediatista e trabalhar apenas para a semana seguinte com uma formação específica e, portanto, focada e limitada. É preciso equilibrar as duas coisas. A palavra "equilíbrio" tem a ver com balança, "libra", equilibrar a balança é colocar os pratos em sua condição de uso mais adequado.

Uma empresa que não pense na formação de um multiespecialista fratura a condição de ir adiante com maior perenidade. Afinal de contas, a velocidade da alteração dos processos produtivos, dos conhecimentos, dos nichos de mercado é tamanha que a questão não é estar o tempo todo partindo, mas preparado para partir. Você não tem de formar uma pessoa para estar continuamente de partida para outro lugar. Ela tem de estar de prontidão, em estado de aptidão para partir para uma outra direção, se assim for necessário. E formar pessoas para a autonomia exige que elas desenvolvam a sensibilidade, a capacidade de acumulação de conhecimento e informação, a capacidade de apropriar-se desse conhecimento e dar a ele aplicabilidade. Não basta que isso saia apenas do mundo da erudição, não é para formar eruditos, é formar pessoas que tenham condições de ter um conhecimento que tenha eficiência.

Aristóteles chamaria isso de causa eficiente. Não basta uma causa formal, é preciso ter uma causa eficiente, diria ele, que dê resultado. E empresas vivem de resultados, que são obtidos a partir da condição de competência que ela carrega.

Lealdade relativa

Reconhecimento é fator decisivo
para a permanência de um
profissional na empresa.

Hoje, no mundo do trabalho, a questão da carreira passou a ser tratada como sendo do âmbito do indivíduo. Atribui-se a cada homem e a cada mulher responsabilidade pelo desenvolvimento de sua trajetória profissional. Mas essa condição, por sua vez, fragilizou a relação de lealdade do funcionário com a empresa, o que culminou com um dos desafios cruciais para quem lida com a gestão do capital humano: a retenção de talentos.

Há até trinta anos, um empregado ou uma empregada aspirava entrar numa organização e nela ficar por longo tempo. Haveria uma estabilidade naquele trabalho. Aliás, considerava-se bom profissional aquele que ficava no mesmo lugar, em vez de saltitar por várias organizações. Essa perspectiva sofreu uma alteração em função até da mudança dos parâmetros de noção de produtividade e de competitividade. Por exemplo, há trinta anos, o presidente de uma empresa ia à reunião anual de acionistas com a seguinte expressão: "Estamos muito bem, crescendo, nossa empresa está em franco sucesso, passamos de oito mil empregados para 12 mil empregados". E haveria aplausos esfuziantes. Hoje, a frase de abertura seria: "Estamos muito bem, com uma boa presença no mercado, quero comunicar que passamos de oito mil empregados para três mil empregados". E os aplausos seriam esfuziantes. Nessa lógica, existe a necessidade de colocar o recurso humano, a força de trabalho, como uma *commodity* a ser negociada, dispensada, adquirida, de acordo com os momentos e as perspectivas. Ora, o profissional também percebe isso. Não há uma fidelização recíproca, ele sabe que é dispensável. Uma alteração na Bolsa de Valores na China mexe no cotidiano do número de empregados que vai ficar numa pequena fábrica de acessórios de couro na região de Franca, no Estado de São Paulo.

Essa interdependência, essa conectividade vem para o bem e para o mal. Porque se sou um profissional que sabe que não haverá essa lealdade recíproca, a única maneira de eu ter na empresa uma condição de atratividade maior que não exclusivamente o salário é o reconhecimento. Ninguém fica num local apenas por conta do salário, mas sua permanência é também condicionada pela capacidade de enxergar a finalidade positiva do que faz, do reconhecimento que obtém, do bem-estar que sente quando seu trabalho é valorizado e se percebe ali a possibilidade de futuro conjunto. Uma empresa que sabe que há um manejo possível da sua força de trabalho, mas não oferece no dia a dia condições de reconhecimento, quebra esse equilíbrio. E não só o funcionário é dispensável para a empresa; dependendo do ramo, a empresa é dispensável para ele. Haja vista que, no nível de gerência média para cima, há uma circulação imensa de executivos entre as organizações.

Existe uma responsabilização muito grande do indivíduo, do trabalhador, especialmente no mundo executivo. Neste mundo executivo se diz: "Você tem de se cuidar, é responsabilidade sua". Claro que é, mas não é só minha. Uma empresa inteligente é aquela que oferece parceria para mim nessa proposta. É aquela que não imagina que, nessa relação carreira e vida, eu seja o exclusivo responsável por isso. Aliás, eu, Cortella, se sou um executivo, só me sentiria leal – mesmo que circunstancialmente – a uma empresa se eu percebesse que ela é leal a mim em relação à minha carreira. Que ela me ofereça perspectiva de futuro, que ela aposte de fato no meu trabalho, que ela seja minha parceira em relação a investimento financeiro que eu preciso fazer – e ela também – em minha formação acadêmica ou em minha formação profissional do cotidiano.

Nesse aspecto, a questão da educação corporativa tem um papel importante na retenção de bons profissionais. Sim. Eu fico no local onde percebo que estão investindo em mim. Isso é uma forma de reconhecimento. Alguém que faz comigo, empregado, uma parceria, dizendo que paga metade do meu curso de idioma estrangeiro ou que facilita o meu horário de trabalho, de modo que eu vá fazer uma pós-graduação ou até uma graduação que ainda não fiz ou não completei, ele está investindo em mim. Todas as vezes que alguém fala "você vale o que nós estamos fazendo", isso me dá um bem-estar e uma sensação de que tenho ali uma gratidão. Todas as vezes que eu percebo que a empresa é ingrata comigo ou que me trata como se eu fosse tão-somente uma peça a ser mobilizada ou desmobilizada de acordo com a urgência, isso cria em mim uma certa indiferença.

A educação é um valor intrínseco na sociedade e no mundo do trabalho, é um valor inclusive de empregabilidade. Se eu percebo que a empresa investe em mim, aumenta o meu nível de gratificação, de um lado, e de gratidão, do outro. Não significa que eu tenha lealdade absoluta, porque não se sente isso nem nas organizações em geral. Mas, pelo menos, eu tenho um nível de fidelidade maior. E a educação significa que ela quer me preparar, se não exclusivamente para ela, ao menos me preparar como profissional, e isso me dá um grau de tranquilidade maior, portanto, de adesão.

Síndrome de Rocky Balboa

Todos querem aumentar a empregabilidade, mas nem todos estão dispostos a passar pelas atribulações necessárias.

Na hora de escolher um curso de aperfeiçoamento ou uma pós-graduação, muitos profissionais são acometidos pelo dilema entre fazer algo pelo qual têm genuíno interesse ou algo para atender uma demanda do mercado de trabalho. No momento de decidir entre uma formação mais ampla e mais prazerosa e o atendimento a uma necessidade imediata de carreira, é possível ter equilíbrio?

É preciso, de fato, saber equilibrar, mas não é tão fácil. O pensador alemão Karl Marx falava em reino da liberdade e reino da necessidade. Só é possível chegar ao reino da liberdade quando o reino da necessidade está absolutamente resolvido. Quando as suas necessidades estão satisfeitas, você vai para as escolhas livres. Se alguém precisa fazer algo, porque isso permitirá que, adiante, ele dê um passo para fazer o que gosta, então ele precisa gostar também daquela necessidade. Não adianta ir para algo que é absolutamente necessário com lamentação, dizendo: "Está vendo? Não estou fazendo o que eu queria de fazer". Bom, mas se você sabe que aquilo é apenas uma etapa para uma coisa melhor, então fará.

Um exemplo: pouca gente gosta de dieta (a menos que tenha algum tipo de obsessão); no entanto, quando você faz uma dieta, passa por um desconforto temporário, mas tem clareza de que aquilo servirá para a melhoria da sua saúde, para você disputar uma prova de atletismo, para poder participar de um evento mais em forma; aquele desconforto se torna um estímulo. É a chamada, na mitologia grega, jornada do herói. O herói é aquele que, antes de chegar ao ápice, apanha, sofre, e depois começa a dar a volta por cima. Existem pessoas que têm "síndrome de Rocky Balboa". No primeiro filme da série, *Rocky, um lutador* (1976), ele precisa lutar no começo da história. Aí ele apanha, apanha e, em seguida, apanha um pouco mais. Depois, ele se prepara. Só que a preparação dele, no filme, passa em dois minutos. São as cenas em que ele aparece correndo pelas ruas com seu treinador, pulando corda, socando o saco de areia. A sequência passa rapidamente e aí ele já está pronto. O que é essa "síndrome do Rocky Balboa"? É você imaginar que, como a cena passa rápido, que você rapidamente estará preparado e apto para ir ao ringue derrotar o seu adversário. E não é assim. Há cursos, especializações, atividades que demoram, que exigem trabalho, viagem, perda de uma parte do tempo para lazer e para a família.

A grande questão do equilibro é: vale? A pessoa diz assim: "Não quero misturar a minha vida profissional com a minha vida pessoal". Isso é uma bobagem, pois a sua vida profissional faz parte da sua vida pessoal. Dizer que não quer misturar é não saber lidar com o problema. É supor que, em meio ao tiroteio, se você fechar os olhos não será atingido. Por isso, no curso que você vai fazer ou numa busca de educação continuada, é preciso olhar: "Posso ir agora em direção à liberdade e fazer só aquilo que quero ou preciso antes passar por um treinamento para garantir o patamar e, aí sim, ir em direção a esse outro ponto?" Se eu sei que preciso passar por algumas atribulações, mas elas são a obtenção do positivo, farei com prazer e alegria. Se eu não conseguir entender por que estou fazendo aquilo e ficar em lamúria de forma contínua, aí o que vou obter é mero sofrimento.

Vamos retomar: **não confunda cansaço com estresse**. Você tem cansaço quando uma atividade lhe exige bastante, mas é prazerosa. O estresse se instala quando aquilo que você faz lhe exige bastante, mas você não vê a razão de fazê-lo. Jogar uma hora de futebol cansa, mas não pode estressar. Resolver um problema de geometria cansa, mas não pode estressar. Trabalhar num projeto cansa, mas não pode estressar. E você se estressa quando aquilo que faz não tem muito sentido. Estudar segue a mesma lógica. Por que muitos de nós nos estressamos na escola básica? Porque, vez ou outra, você perguntava: "Professor, por que eu tenho de estudar isso?" e ele dizia: "Um dia você vai saber". E você, aos 14 anos de idade, ficava estudando as leis de Newton, tendo de decorar que "os corpos se atraem na razão direta das suas massas e na razão inversa do quadrado da distância entre elas", sem que tivesse conhecimento da finalidade daquilo. Ao fazê-lo, aquilo o estressava.

O mesmo vale para um curso. Se faço, mas não compreendo a razão, eu não consigo fruí-lo, aproveitá-lo, só vou obter estresse.

Vento oportuno

Para ir da oportunidade ao êxito é preciso enfrentar os medos de mudança, romper com o mesmo e ter a capacidade de se antecipar.

Por que alguns de nós perdemos as boas oportunidades na vida profissional ou pessoal? Porque temos medo de mudança, que se transforma em pânico. Uma pessoa só aceita a mudança, de fato, quando percebe que será beneficiada no processo. Todos temos medo. A natureza colocou em nós dois mecanismos para sobrevivermos: medo e dor. Pânico, porém, é outra coisa. Medo lhe ajuda a não achar que é invulnerável. Em todo processo de mudança, é preciso ficar acautelado, e o medo auxilia nisso. Quem não tem medo se sente satisfeito, tranquilo, e distraído.

Eu viajo quase todos os dias de avião. Se o piloto está na porta do avião, a primeira coisa que eu pergunto é: "Você tem medo de avião?" Se ele disser que tem, eu viajo totalmente sossegado. Por que, se ele tem medo, o que ele faz? Prepara, organiza, estrutura, estuda, vê mapa, faz o melhor.

Agora, se faço a pergunta:

– Você tem medo?

– Imagina, nem um pouco, faz vinte anos que eu voo.

– E se tiver uma tempestade?

– Ah, na hora a gente vê o que faz.

Aí eu entro em pânico. Atenção: **a coragem não é a ausência do medo**. A coragem é o enfrentamento do medo. Corajoso é aquele que enfrenta o medo e não admite que este sentimento se transforme em pânico ou em inação, em imobilidade. **Mudar é complicado, sem dúvida, mas acomodar é perecer.**

Acomodar é perecer! Inclusive no mais distante do cosmos. Quer ver? O mais importante fenômeno hoje da astronomia é o buraco negro. Como sabemos da existência de um buraco negro já que não o vemos? A ciência chega ao buraco negro por exclusão. Desde os anos 1940, nós, humanos, estamos bombardeando o espaço com ondas de rádio e de laser. E, como o universo tem muita densidade, essas ondas sempre voltam. No entanto, durante algumas emissões, começou-se a ver que havia lugares no universo em que a onda não voltava. A probabilidade de enviar um raio e ele não bater em nada é nenhuma, tamanha é sua densidade. Conclusão: existem lugares no universo que são ralos, sugam toda a matéria e toda a energia que está à volta. Inclusive a luz, por isso não vemos o buraco negro. E tudo à sua volta desaparece.

O que isso importa para uma empresa? Muito. Porque o buraco negro resulta de uma magnífica e estupenda estrela, com um poder imenso, que, num determinado momento de sua vida, deixa de renovar a energia e mudar e passa a consumir apenas a energia que ela já tinha. Portanto, ela passa a comer a si própria. E, por não mais se renovar, ela não tem mais vitalidade. Seu último gesto de vida é explodir e se tornar uma supernova. Nesse momento, ela desaba para dentro de si levando tudo o que está em volta. Há empresas e áreas que se tornam buracos negros. Em vez de renovarem energia, elas vão gastando vitalidade e uma hora sugam tudo o que está em volta. Cuidado: o buraco negro resulta sempre de grandes estrelas, e não de pequenas, porque estas já são sugadas também.

É necessário ser capaz de ter medo de não renovar energia e perder oportunidade. De onde vem a palavra oportunidade? Vem do nome de um vento. Os romanos tinham o hábito na Antiguidade de dar nome aos ventos. E um vento que eles apreciavam imensamente, que levava o navio em direção ao porto, era chamado de *ob portus*, o vento oportuno. O que é oportunidade? É quando você pega o vento favorável, aquele que o leva para o porto. O vento inoportuno é o que o tira da direção do porto. O que é o porto? O porto – assim como uma porta – é segurança, é entrada e saída, é aquilo que o impede de ficar estanque na coisa mais perigosa que existe, que é ser prisioneiro do mesmo.

O porto ou a porta impede que eu fique isolado, que eu fique ilhado, sem alternativa. Por isso, a oportunidade é aquilo que nos tira do mesmo porque o porto ou uma porta é, antes de mais nada, uma saída. Como é saída em grego? *Exodus*. Na Bíblia, é a passagem clássica dos hebreus, conduzidos por Moisés, até a terra prometida, Canaã. A palavra em inglês que veio de *exodus* é *exit*. Que significa "sucesso", "resultado positivo" e, também, "saída".

Para ir da oportunidade ao êxito é preciso enfrentar os medos de mudança, romper com esse sentimento e ir atrás do vento oportuno. Para isso, é preciso mudar a mentalidade. É preciso ter uma mentalidade humilde. Uma mentalidade moderna.

Uma característica central de quem não perde oportunidade é a capacidade de ter audácia. **Não confunda audácia com aventura**. A mudança se faz com os audaciosos, não com os aventureiros. O grande pensador alemão Immanuel Kant, no século XVIII, dizia: "Avalia-se a inteligência de um indivíduo pela quantidade de incertezas que ele é capaz de suportar". Suportar não significa sucumbir, mas resistir às incertezas e continuar. Para resistir às incertezas é preciso ter audácia. Repita-se: não confunda audácia com aventura. Audacioso ou audaciosa é aquele ou aquela que planeja, organiza, estrutura e vai. Aventureiro ou aventureira é quem diz: "Vamos que vamos e veremos no que dá".

O bom navegador não espera o vento oportuno, ele vai atrás. A audácia lhe coloca uma condição: é preciso ser capaz de antecipar. Antecipar é diferente de adivinhar. Antecipar está no campo do planejamento e da ciência, enquanto adivinhar está no reino da magia. Não dá para adivinhar o mercado, mas dá para antecipar. Não dá para adivinhar o processo, dá para antecipar. Para isso, a pessoa que não perde a oportunidade se caracteriza pela capacidade proativa. Diferentemente daquele que só quer adivinhar e é, portanto, reativo.

O grande estrago das pequenas ondas

*Muitas vezes, a perda de recursos
e de eficiência pode ter origem nas
ações que não fazem estardalhaço.*

O navegador Amyr Klink é um homem extremamente audacioso. Não é um mero aventureiro. Ele é capaz de permanecer por quatro ou cinco meses em bloco de gelo lá no Polo Sul. Mas, antes de partir a bordo do seu Paratii II, ele planeja, estrutura, organiza. Klink nos ensina algo ótimo quando pensamos em excelência. Ele diz que há pessoas que, quando estão observando o processo de navegação, prestam atenção apenas às grandes ondas. Todavia, o que faz com que o navegador, vez ou outra, se desvie da rota ou o que provoca avarias no barco são as pequenas ondas, que vão batendo no casco bem devagar. Numa organização, muitas vezes é a pequena onda que faz com que o orçamento se esvaia, os custos de produção aumentem e a eficiência decline.

A pequena onda é o desperdício de papel, a não utilização adequada de recursos para se executar as atividades do dia a dia; é a chamada recusa à otimização. Otimizar algo significa fazer o melhor pelo menor custo.

Fui Secretário de Educação da cidade de São Paulo, em 1991 e 1992, mas já participava, como adjunto, nos dois anos anteriores; assim que assumimos em 1989, uma das coisas mais curiosas que presenciei foi a existência de uma ata de registro de preços para licitação de compras para fornecimento de merenda escolar, uma atividade do poder público municipal que, em São Paulo, compreende o atendimento de um milhão de pessoas por dia. Um dos itens da merenda a ser servido às crianças da rede escolar era limonada. A empresa que havia vencido o processo vendia a caixa de limão siciliano 20% mais barato que o preço da caixa do limão galego. Apesar de a quantidade de limão siciliano ser maior e ter o custo menor, dava menos suco.

Certo dia, fizemos uma experiência: compramos uma caixa de limão siciliano e uma caixa de limão galego e es-prememos o conteúdo de ambas. O limão galego rendeu muito mais suco. Por quê? Porque o limão siciliano é gran-de e, quando o colocamos na caixa, fica espaço entre um e outro, enquanto que o limão galego fica um bem junto do outro. Conclusão: passamos a substituir o limão siciliano pelo galego. Por incrível que pareça, essa não foi tarefa das mais simples. Porque era preciso encontrar uma legislação que permitisse essa mudança e também um procurador do município que se dispusesse a enfrentar esse problema, o que era difícil por uma razão: diziam alguns que sempre foi assim e não dava para fazer aquela mudança. E quando perguntávamos: "Mas como não dá para fazer?" A resposta era simplesmente: "Está na lei". Restava-nos dizer: "Ora, então vamos ver como fazer algo para otimizar sem burlar a lei".

Há outro episódio interessante. Após assumir o cargo, passei os três primeiros meses tendo de ajudar a comprar papel higiênico para um milhão de pessoas usarem diariamente nas escolas. Para não faltar, era preciso calcular a quantidade certa, porque um banheiro de escola sem papel higiênico produz um desespero danado. Nós tivemos, inclusive, de estabelecer uma fórmula para calcular o consumo: setenta centímetros para menina e cinquenta centímetros para menino. Era preciso que esse cálculo fosse feito com um alto grau de precisão. Afinal, pode faltar uma série de itens no seu dia a dia, mas a falta de papel higiênico ou a existência de vazamento no banheiro é um transtorno significativo.

As empresas que vendiam papel higiênico para o governo entregavam o caminhão lotado de pacotes. A prefeitura pagava sem conferir finamente o material. Certo dia, decidimos fazer uma inovação: colocamos duas professoras do primário – daquelas que conferem até a volta do "a" quando o aluno está sendo alfabetizado – para cuidar do almoxarifado que atendia 15 mil itens da área de Educação.

A primeira medida que elas adotaram quando o caminhão do fornecedor estacionou foi pegar um pacote aleatoriamente, tirar um rolo de papel higiênico e medi-lo com uma trena. Na embalagem estava escrito: "média de

50 metros". Mas havia rolo com 39 metros, com 38, outro com 41. Elas mandaram tudo de volta!

Em cada caminhão, a prefeitura perdia em média 20% do papel higiênico comprado. Começaram elas a devolver toda a carga a cada entrega, após a medição aleatória. Nunca mais os fornecedores agiram dessa forma. Tratava-se do mesmo recurso e com uma simples medida estava se otimizando. Estou citando o exemplo de algo básico: papel higiênico.

A pequena onda vai batendo no casco e minando o dia a dia.

A tensão da mudança

A busca da excelência exige ação. Mas sem cautela imobilizadora nem ímpeto inconsequente.

Se uma empresa procura estabelecer novos paradigmas e quer construir excelência, é necessário organizar-se de outro modo. O que é preciso para isso? Que se aja. Quando é preciso agir todas as vezes que é necessário mudar, existem duas atitudes muito comuns no comportamento de alguns funcionários: a primeira é a pessoa cair na cautela imobilizadora.

O que é a cautela imobilizadora? É a atitude daquele ou daquela que, ao ouvir que é preciso mudar as coisas, dando mais presteza, maior velocidade, maior eficácia, maior segurança, diz: "Vamos esperar mais um pouco, ainda é cedo. Faz tempo que está assim, vamos deixar desse modo. Aqui no Brasil é assim, as coisas demoram um pouco a acontecer". Essa é a cautela que imobiliza, que impede que as coisas aconteçam.

Imaginem uma unidade do Corpo de Bombeiros com uma cautela imobilizadora. Alguém liga por causa de um sinistro e o bombeiro diz: "Calma, explica pra mim, está chovendo ou não está? Acho que a gente vai daqui a pouco. Conheço esse tipo de incêndio. Apagamos incêndios assim há dez anos. Não é preciso ter pressa não". E nesse tipo de situação há um sentido de urgência fortíssimo.

Cabe aqui Fernando Pessoa, estupendo poeta português, autor de uma das frases mais magníficas que conheço e de que mais gosto na vida e que vale para essas pessoas que, frente à necessidade de mudanças, pedem para esperar um pouco, que ainda é muito cedo ou que dá muito trabalho: "À véspera de não partir nunca, ao menos não há que arrumar malas". Há pessoas que, para não ter o trabalho de arrumar mala, ficam adiando a partida.

Face à mudança, existe uma outra atitude que é perigosa: o ímpeto inconsequente. O famoso "vamos que vamos". É o caso do time que vai para o vestiário no intervalo do jogo perdendo de 1 a 0 e ouve do treinador a seguinte orientação: "Pessoal, a coisa tá feia, o momento é grave. Temos de partir para cima do adversário. Vocês estão jogando com cautela imobilizadora. Não dá. Temos de partir para cima deles. Perdido por um, perdido por cinco. Vamos com tudo para cima". E o time perde por 5 a 0 ao fim dos noventa minutos.

Cuidado! Cautela é necessária e ímpeto também. Mas não pode ser uma cautela que imobilize nem um ímpeto inconsequente. Volto à imagem do soldado do Corpo de Bombeiros. Por que admiramos as pessoas que integram o Corpo de Bombeiros? Porque doam a vida para que a vida se mantenha. Há um dado concreto: a pessoa tem de ser bem preparada para lidar com a cautela e com o ímpeto. Um bombeiro é alguém que, ao soar o aviso de um sinistro, mede a qualidade do que faz pelo tempo veloz que consegue chegar ao lugar do acidente e por criar uma condição que nos permita sair do local. Suponhamos que o bombeiro se dirija com velocidade ao local, mas, tomado pela cautela imobilizadora, diga: "Ah, vamos esperar um pouco. Esta porta está meio quente. Não. Deixa. Quem sabe chove e apaga isso".

Que outra atitude é perigosa? Ao ser avisado do incêndio, o bombeiro entra de vez no local, sem saber se houve desabamento, sem checar se há vazamento de gases etc. É um perigo.

É preciso saber equilibrar a tensão da flexibilidade com a rigidez. Existe uma tensão entre o que eu mantenho, que é a rigidez, e o que eu mudo, que é a flexibilidade. Como é que se vive essa tensão? Estamos vivendo a emergência de novos e múltiplos paradigmas. São novos tempos que exigem novas atitudes. Não dá para fazer a velha edição para as coisas que caminham em direção à excelência.

No trajeto até o novo patamar é preciso lidar com uma tensão. Qual é a tensão? A tensão da mudança. Toda pessoa que precisa mudar corre um risco: o do desequilíbrio momentâneo. Quando aprendemos a andar de bicicleta, aprendemos a nos equilibrar lidando com a possibilidade da queda. Nenhum e nenhuma de nós nasceu sabendo andar. Quando alguém sofre um acidente e precisa fazer fisioterapia, há o preparo não apenas do músculo para voltar a andar, mas também do espírito, para que a pessoa saiba que corre o risco de desequilibrar-se.

Coragem para enfrentar o desequilíbrio momentâneo é garantia de estabilidade mais adiante.

Gestão pessoal, gestão vital

Quando o modelo de vida leva a um esgotamento, é fundamental questionar se vale a pena continuar no mesmo caminho.

A virtualização do local de trabalho, a possibilidade de trabalhar em qualquer canto, não significa necessariamente que se facilitou a nossa existência. Poder trabalhar em qualquer lugar hoje significa que se pode trabalhar o tempo todo. Agora, está-se procurando um ajuste que não tem a ver somente com o mundo do trabalho, mas com o nosso modo de vida. Há executivos que entram em estado de desespero porque não conseguem mais conviver com a família. E como o mundo da competitividade é muito acelerado e ele precisa de fato estar o tempo todo em atenção, produzindo, procurando competência e eficácia, não sobra tempo para outras coisas. Então, tem-se um nível de infelicidade muito grande.

A responsabilidade é de um mundo obsessivamente competitivo, mas ela é muitas vezes também de um modo de vida de como uma família vive. Por exemplo: hoje há um alto nível de consumo nas famílias de classe média, dos executivos. Esse consumo é responsabilidade do homem ou da mulher, no caso do executivo ou da executiva. Se ele baixar a qualidade do trabalho que faz, ele baixa o padrão salarial. Se ele diminuir esse padrão, as pessoas consomem menos. A questão central é como você faz um pacto com a sua família para que se perceba que você está oferecendo a eles uma condição absolutamente privilegiada de vida, com condições materiais, alto consumo etc., mas isso lhe está matando, infelicitando-lhe, amargurando-lhe e você não quer fazer mais isso? É quase que uma reunião familiar, em que se diz o seguinte: "Todo mundo terá de diminuir um pouco o padrão de consumo porque eu precisarei baixar a carga de trabalho. E para eu diminuir a carga de trabalho, vocês não podem me cobrar. Eu preciso de vocês para poder ter um pouco mais de vida". Por isso, a família tem uma responsabilidade séria nisso. Afinal, são seus parceiros de vida. Vamos lembrar novamente: **essa história de "eu não levo trabalho para casa, não misturo trabalho com vida pessoal" é uma bobagem**. Nenhum de nós é uma função aqui, outra lá e outra acolá. Você é uma pessoa inteira. Quando você vai para casa, está levando tudo com você e quando vai para o trabalho, leva as coisas de casa. Você vive uma vida com várias dimensões concomitantes. Não dá para você fazer uma gaveta e dizer "agora eu vou ser pai". O que você precisa é administrar o tempo.

Para isso, talvez esteja esquecendo que é necessária uma distinção entre o que é urgente e o que é importante.

A maior parte das pessoas no mundo do trabalho executivo está cuidando do urgente e não do importante. É necessário tomar uma decisão em relação a isso. Lamento, o mundo não mudará essa lógica do Ocidente tão rapidamente. Acho que esse nosso modelo de existência nas grandes metrópoles, com um trabalho acelerado, com uma competitividade exacerbada ainda tem um fôlego, no meu entender, de pelo menos dez anos. Todavia, não mais que uma década porque está próximo de um esgotamento. Uma parte do mundo executivo está próxima do colapso. O que temos de reorientar? Questionar o que precisamos ter, de fato, em termos de bens materiais. Temos de pensar sobre aquele que tudo tem, mas a ele parece que o é muito pouco em relação ao que acha que deveria ter.

Até onde nós vamos? Até onde eu, executivo, vou levar minha vida ao esgotamento, à custa de quê? De ter mais relógios, canetas, carros, de poder consumir mais? Se eu estou perdendo vida, estou vendendo a minha alma. Aliás, os cristãos têm uma frase que muitos executivos deveriam pensar sempre. Diz: "**De nada adianta a um homem ganhar o mundo se ele perder sua alma**" (Mt 16,24).

O executivo que entra em estado de tristeza fica assim porque não consegue se enxergar saindo disso. Porque é um consumo em que mais se tem, mais se cresce. É como massa de pão: mais bate, mais cresce. Quanto mais você oferece, mais necessidade aparece. Tem de ter um basta, antes que a natureza dê. E ela costuma dar. Via saúde, por exemplo, ou via loucura. É necessário reinventar o modo como estamos existindo; não é apenas o mundo do trabalho, que é só uma das dimensões. Não é a única, nem a exclusiva, é aquela na qual nós gastamos mais tempo.

Karl Marx, no final do século XIX, acreditava – e esse é um sonho que se perdeu e não deveria ter sido perdido – que chegaria um momento – e ele imaginou que seriam cem anos depois, portanto, agora, nesses últimos trinta anos – em que o homem trabalharia quatro horas por dia. E nas outras vinte horas iria brincar, ficar com a família, pescar, ler. Já temos tecnologia suficiente para que a humanidade trabalhe quatro horas diariamente. Se todos trabalharem e se todos tiverem um padrão de consumo que ofereça condições de vida coletiva, isso seria viável. Estamos num momento crucial da história. Quando o executivo se sente mal, não é apenas no trabalho. É um mal-estar geral que revisita e revigora Sigmund Freud, o pai da psicanálise. É o mal-estar da civilização. "Eu não quero mais viver nessa cidade. Não quero trabalhar desse jeito." Para isso, não espere pelo epitáfio.

Às vezes alguns executivos me perguntam: "Mas como é que eu faço? Nesse mundo que está aí, se eu bobear eu danço". Depende de com quem você está querendo dançar. Quem sabe você se junta com a sua família, com a sua cabeça, reflita e pense se o caminho que você está escolhendo pode ser um caminho em que você está só se ocupando, mas não está vivendo de fato. **Ocupação não é sinônimo de vida, é sinônimo de atividade.**

Tem saída? Claro; é só não desistir...

LIDERANÇA

Fundamental é chegar ao essencial

Contar com mecanismos de reconhecimento é sinal de inteligência estratégica.

"Por que eu preciso morar em grandes cidades, viver desesperado dentro de um carro para lá e para cá, restringir imensamente meu tempo de convivência com as pessoas de que eu gosto, reduzir o meu ócio criativo para ficar num lugar onde vão me oferecer apenas e tão-somente dinheiro?" Essa é uma dúvida que provavelmente atravessou muitas pessoas no trajeto de ida ou de volta do trabalho.

Para alguns, a resposta a esse questionamento poderia vir de pronto: "Porque sem dinheiro não se vive". Sim, sem dinheiro não se vive, mas só com dinheiro não se vive. Há uma mudança em curso no mundo do trabalho. As pessoas estão começando a fazer uma distinção necessária entre o que é essencial e o que é fundamental.

Essencial é tudo aquilo que você não pode deixar de ter: felicidade, amorosidade, lealdade, amizade, sexualidade, religiosidade. Fundamental é tudo aquilo que o ajuda a chegar ao essencial. Fundamental é o que lhe permite conquistar algo. Por exemplo, trabalho não é essencial, é fundamental. Você não trabalha para trabalhar, você trabalha porque o trabalho lhe permite atingir a amizade, a felicidade, a solidariedade. Dinheiro não é essencial, é fundamental. Sem ele, você passa dificuldade, mas ele, em si, não é essencial. No mundo da empresa, salário não é essencial, é fundamental. O que eu quero no meu trabalho é ter a minha obra reconhecida, me sentir importante no conjunto daquela obra. Essa visão do conjunto da obra vem levando muitas pessoas a questionar o que, de fato, estão fazendo ali.

Isso não é exclusivo do mundo do trabalho, mas vale para a vida em geral. Nós estamos substituindo paulatinamente a preocupação com os "comos" por uma grande demanda em relação aos "porquês". O nosso modo de vida no Ocidente está em crise e algumas questões relevantes vêm à tona: a compreensão sobre a nossa importância, o nosso lugar na vida, o que vale e o que não vale, qual é o próprio sentido da existência. Afinal de contas, a ciência nos prometera há cem anos que, quanto mais tecnologia, mais tempo livre haveria para a família, para o lazer, para a amorosidade.

Ora, durante os últimos cinquenta anos se trabalhou em busca de um lugar no mundo do fundamental: a propriedade, o consumo. Isso não satisfez a nossa necessidade de reconhecimento, de valorização. Hoje temos um fosso entre o essencial e o fundamental, que leva as pessoas a ficarem absolutamente incomodadas: "Por que eu estou fazendo isso?" E a nossa lista dos "porquês" foi sendo substituída pela lista dos "apesar de": "Apesar do salário...", "Apesar das pessoas...", "Apesar desse ambiente, eu faço". É muito diferente de se ter razões para fazer. Quando há a razão de um lado, o senão de outro, e a balança começa a pesar para o senão, indagamos: "Qual a qualidade da minha vida?"

É bem provável que muitos profissionais, atarraxados pela pressão do dia a dia, tenham elaborado o seguinte raciocínio: "Eu sou mortal, para que eu vou continuar nesse modo de vida? Para que vou atuar numa empresa se a única coisa que ela me oferece é um salário e um pouco de cosmética? Eu quero uma empresa que me ofereça reconhecimento pelo que faço, que me coloque como participante de uma obra coletiva, que me ofereça futuro, em vez de simplesmente demandar o esgotamento do meu presente".

Há um nível de insatisfação que somente as empresas com maior inteligência estratégica serão capazes de lidar, que são os mecanismos de reconhecimento. "Reconhecer" significa conhecer a mim mesmo. Eu preciso me ver naquilo que faço. Do contrário, eu não me realizo. Se eu não me realizo – usando a palavra em duplo sentido –, não me torno real ou, se eu usar o termo em inglês, *to realize*, não me percebo. E se não me percebo no que faço, eu me sinto infeliz.

No meu modo de ver, **o mundo ocidental capitalista produtivo material altamente eficaz caiu numa armadilha: especializou-se nos "comos" e deixou de lado os**

"porquês". E aí temos um adensamento da insatisfação, do incômodo e, especialmente, do desespero.

Essa é uma questão que os líderes não podem perder de vista. Mostrar para as pessoas qual é o resultado da obra e identificar essa obra como magnífica. Se assim não fosse, não haveria quem tocasse címbalo em orquestra. Na *Abertura 1812*, de Tchaikovsky, por exemplo, o instrumentista do címbalo toca pouco durante a peça inteira. E ele vai para casa e fala o quê para a esposa? Que durante a execução do concerto ele fez "pim" três vezes? Claro que não. Ele fala que participou de um concerto. Agora se ele perceber que as pessoas acham que ele só toca címbalo e que, aliás, é altamente substituível, se ele perceber que o *spalla* (primeiro violino) da orquestra o despreza, ele ficará propenso a ter dois tipos de comportamento: não ter lealdade à orquestra ou atravessar durante a execução, tocar na hora errada. O tocador de címbalos precisa ter clareza de que não foi lá bater o prato três vezes, mas, sim, de que estava compondo uma obra coletiva.

O Ocidente acabou escorregando nesse canto e colocou as pessoas como insignificantes tocadoras de címbalos, em vez de executoras de uma grande obra, na qual um toca címbalos, o outro, violino e, o outro, fagote. E a nossa sociedade tem muito mais tocador de címbalos do que *spalla* de orquestra. Eu, tocador de címbalos, quero me entender como membro respeitável de uma orquestra: isso é essencial...

Aquilo em que me reconheço

Realizar e perceber-se. Uma das principais tarefas do líder é esclarecer a obra coletiva.

Liderança é uma virtude, e não um dom. E, do ponto de vista filosófico, virtude é uma força intrínseca. Por exemplo: a coragem, o destemor, a iniciativa são forças intrínsecas. Tudo o que é virtual é força intrínseca. E virtual não é o que se opõe ao real, mas aquilo que se opõe ao atual. Essa é uma discussão antiga na Filosofia, desde Aristóteles, no século IV a.C. A árvore está virtualmente contida numa semente. Portanto, a semente é virtualmente uma árvore. Quando ela passa a ser árvore, ela se atualiza. Não é casual que em inglês se use a expressão *actually* no sentido de confirmação da verdade. Quando você diz *actually*, em inglês, não está querendo dizer "atualmente", como sugere o falso cognato em português. A intenção é se referir àquilo que, concretamente, está existindo.

Por que partirmos dessa ideia? Porque a liderança é uma virtude que está em qualquer pessoa, do ponto de vista virtual. O virtual precisa ser atualizado ou realizado.

Fala-se muito no campo financeiro em "realizar" lucros ou, no Terceiro Setor, em "realizar" projetos. A expressão realizar", que para nós veio do latim, invadiu o português e o inglês com sentidos que se aproximam. Fazer com que o virtual seja realizado é fazer com que ele se torne atual, real ou, como dissemos antes, usando a concepção dos saxões, *to realize*, no sentido de dar-se conta. Ou seja, tomar consciência. Não é possível que qualquer homem ou qualquer mulher desenvolva qualquer trabalho se não tiver consciência clara da finalidade daquela atividade.

Aliás, de maneira geral, quando se vai abrir uma empresa no Brasil, pergunta-se qual a razão social. Razão social significa dizer qual é o sentido daquilo que será realizado. Qual a razão da sua existência? Qual é a razão de você atuar nessa área? Por que trabalhar nesse setor? Ou: qual é a sua obra, qual o resultado da tua obra?

A sua obra é atuar na área de varejo? É fazer contato com cliente? É emitir ordens de pagamento? Qual é a sua obra? É projetar planos ambientais? Projetos sociais? Presidir uma empresa? Ser assistente bancário? A sua obra é muito mais do que fazer uma ordem de pagamento; muito mais do que dirigir o setor de *contact center* ou do que lidar dentro de um fundo de investimento. A sua obra é muito mais ampla do que qualquer que seja a atividade que você realize em si mesma.

Se você tem a tarefa de gestor, será que aquela pessoa que trabalha com você no dia a dia tem clareza de qual é a obra dela dentro da equipe, da empresa, da sociedade? Ou será que ela, porventura, supõe que a obra dela é apenas aquilo que está fazendo no imediato? Essa é uma questão relevante porque uma das tarefas do líder é esclarecer a obra coletiva.

Cuidado com a ideia de líder no cotidiano. Cada vez mais, fala-se aos homens e às mulheres em posição de liderança que é preciso ter tantas e tais características, a tal ponto que isso não cabe em um ser humano. Todas as vezes que se diz que o líder precisa fazer isso, aquilo e aquilo outro e ainda ser assim, e dispor daquilo, enfim, não existe homem ou mulher que complete a lista de exigências.

Ora, se a liderança é uma virtude – portanto, uma força intrínseca –, qualquer homem e qualquer mulher em qualquer lugar, ou função, pode desenvolvê-la. A liderança é sempre circunstancial. Qual é a diferença entre líder e liderado? É a circunstância. Ou seja, a ocasião ou a situação.

Nenhum ou nenhuma de nós é líder em todas as situações, nenhum ou nenhuma de nós consegue liderar qualquer coisa, ou todas as coisas e situações. Por outro lado, qualquer um ou qualquer uma de nós é capaz de liderar alguns processos, algumas pessoas, algumas situações.

Um exemplo concreto: eu, Cortella, não consigo liderar a organização de uma festa com facilidade. Há pessoas, no entanto, que têm enorme capacidade de organizar prontamente um churrasco. Basta que se mencione essa ideia e é muito provável que duas ou três pessoas se apresentem dizendo: "Pode deixar, eu cuido do local, você cuida da arrecadação, eu conheço um conjunto de chorinho, você pode buscar a carne em tal lugar". E pronto.

Eu, entretanto, tenho uma habilidade muito grande para organizar velório. Isso não é piada. No meu círculo de amizade, durante algum tempo, fui encarregado de organizar velório. Desenvolvi essa virtualidade e passei a torná-la atual. Isto é, da primeira vez que eu enfrentei a situação, em que me avisaram que havia falecido uma pessoa próxima, o que eu fiz? Tive de aprender. Organizei o velório, fui buscar roupas na casa do falecido, tive de arrumar o corpo, avisar as pessoas, colocar a documentação em ordem. Eu era capaz inclusive de ir até o momento mais difícil desse processo, em que é preciso dizer: "Pessoal, está na hora de fechar o caixão". Por que eu estou dando esse exemplo? Porque eu, embora seja capaz de liderar um processo de organizar um velório, não sei fazê-lo em relação a uma festa. Eu sou professor e sei liderar um processo pedagógico, mas não uma banda de música. Mas será que eu poderia liderar uma banda de música? Será que eu poderia ser maestro? Ser um jogador de futebol? Certamente! Desde que as circunstâncias, as situações me colocassem a ocasião. E que, com a ocasião presente, eu nela me inserisse.

O líder é aquele ou aquela capaz, numa dada circunstância, de levar adiante pessoas, projetos, ideias, metas. Qualquer um consegue fazer isso, desde que transforme a sua força intrínseca numa força atual. O que reafirmo com isso, para não cairmos numa armadilha? Não existe líder nato. Aquele apontado como: "Esse cara nasceu para liderar". Observe a história dele e verá que ele foi assumindo encargos, lidando com situações e circunstâncias que permitiram que fizesse aquilo. Você não nasce líder, você se torna líder no processo de vida com os outros.

O líder é aquele que tem uma força intrínseca e qualquer um e qualquer uma de nós pode sê-lo. Depende da circunstância e da disposição, aquilo que Maquiavel chamava de juntar a *virtu* com a *fortuna*, ou seja, a capacidade com a ocasião, a virtude e a sorte.

Um grande passado pela frente

Fascinação pelo mesmo e arrogância: duas armadilhas de altíssimo risco para a liderança.

Assumir a postura de liderança é, antes de mais nada, uma escolha. Mas ela exige uma estupenda capacidade: a de se ter humildade. Isto é, saber que não se sabe tudo, saber que não se sabe todas as coisas e, especialmente, saber que não se é o único a saber.

Se há uma coisa que atrapalha qualquer processo de liderança é líder ou liderado supor-se já sabedor, conhecedor e iluminado. Afinal de contas, há um antagonismo entre líder e arrogância. Conhece gente arrogante? Como afirmamos e vale trazer novamente: gente arrogante é gente que acha que já sabe, que acha que já conhece, que acha que não precisa mais aprender. Aliás, gente arrogante tem uma característica muito peculiar: é cheia de certezas. Cuidado com gente cheia de certezas. São pessoas incapazes de crescer. Porque o crescimento na história da humanidade se dá quando a gente tem dúvida. Quando a gente só tem certezas, o máximo que faz é ficar o tempo todo *dentro do mesmo* (a mesma praça, as mesmas flores, o mesmo banco, o mesmo jardim)...

Quem deseja desenvolver cada vez mais a atividade de liderança, deve se acautelar com duas coisas:

1) A armadilha do "mesmo" – O mesmo o tempo todo do mesmo jeito. Há uma comunidade no Orkut que tem o espetacular título: "Eu tenho medo do mesmo". Sabe de onde veio a inspiração? Daquela inscrição que fica na porta de alguns elevadores: *"Antes de entrar no elevador, verifique se o mesmo encontra-se parado no andar"*. Porque "o mesmo" é uma coisa apavorante. Se você não tem medo do "mesmo", é melhor começar a ter. Você, gestor de pessoas, negócios e processos, tenha muito medo do mesmo. Mais do mesmo o tempo todo. Tem gente que não consegue avançar em direção ao futuro e acaba ficando com um grande passado pela frente. É aquela pessoa que só quer mais do mesmo. E ainda cai numa outra armadilha. Ela se agarra ao passado e torna-se repetitiva.

Das coisas que vêm do passado é preciso saber separar duas situações: nem tudo que vem do passado é para ser descartado, há aquilo que vem do passado e precisa ser guardado, protegido, levado adiante. O que a gente chama de **tradição**. Aquilo que vem do passado e precisa ser jogado fora, descartado, deixado de lado, a gente chama de **arcaico**. Quando se fala em futuro, não se fala obviamente na necessidade de descartar tudo o que já veio – isso seria uma tolice –, mas sim de trazer para o futuro aquilo que é tradicional e deixar no passado aquilo que é arcaico. O arrogante tem uma fascinação pelo mesmo.

Cautela: porque, dentro da arrogância, há uma outra síndrome.

2) "Síndrome do General Sedgwick" – Além da síndrome do *mesmo*, aquele que deseja liderar de forma mais plena não pode ser prisioneiro daquilo que eu chamo de "Síndrome do General Sedgwick". Na guerra civil norte-americana, o General Sedgwick morreu em 9 de maio de 1864 com um tiro no olho esquerdo, enquanto observava as tropas inimigas ao longe: – *Atenção, nem sempre chefe é líder. Muitas vezes líder é chefe, mas o contrário não é automático. Nem sempre chefe é líder. Há alguns chefes que são líderes, lembrando que liderança tem a ver com capacidade de inspirar, enquanto que chefia é uma estrutura hierárquica.* A última frase que disse, em meio à Batalha de Spotsylvania, foi "Imagine, eles não acertariam nenhum elefante desta dist..."

Cuidado, porque um líder não pode supor que é invulnerável. Um líder não pode supor que já está blindado. Porque a síndrome do General Sedgwick leva-nos ao descuido. Isso vale para a empresa, vale para o departamento, para o grupo, vale para a pessoa. Se me considero invulnerável, eu perco a cautela. E acabo achando: "Imagine, eles não acertariam nem um elefante desta dist..." E, no ambiente empresarial, existem algumas sentenças equivalentes: "Nunca eles vão nos alcançar, somos o primeiro nesse quesito". "Imagine, temos anos e anos de prática nessa área. Nunca vão nos tirar a dominação no setor."

Essa é uma questão importante. Por isso tudo, a liderança exige a capacidade de humildade.

E aqui cabe a importante distinção: ser **humilde** é diferente de ser **subserviente**. Uma pessoa subserviente é aquela que se dobra a qualquer coisa. Uma pessoa humilde sabe que o dela não é o único modo de ser, com um único modo de pensar. Aliás, a pessoa que tem humildade usa o outro como fonte de renovação. De maneira geral, o arrogante acha que ele se basta. Escrevi isso mais densamente no livro *Não nascemos prontos!* (Vozes). Cai numa armadilha perigosa: em vez de deixar o outro satisfeito, ele fica satisfeito consigo mesmo. Cuidado com a autosatisfação. A satisfação paralisa, a satisfação entorpece, a satisfação adormece. Um filme bom é um filme insatisfatório. Um livro bom é um livro insatisfatório. Na hora em que você termina de ler, fica olhando para aquelas páginas, querendo que continuassem.

Ora, por que marcamos jantares em nossa casa às 9h da noite e servimos a comida só às 11 horas? Porque se as pessoas chegarem e comerem, elas ficarão satisfeitas, se entorpecerão e a festa acabará. E é gostosa a convivência animada e prolongada pela espera, enquanto servimos o aperitivo, em meio às conversas e risadas.

Cautela de novo: há gente muito satisfeita consigo mesma, porque julga deter o modo bom de ser. E acha que isso é liderar. Ele não consegue olhar a outra pessoa como fonte de renovação. Cuidado com gente cheia de certeza. Gente cheia de certeza fica muito satisfeita consigo mesma e só fica fazendo mais do mesmo o tempo todo.

Guimarães Rosa, o grande escritor mineiro, dizia: "O animal satisfeito dorme". As mulheres sabem o que é isso...

A renovação pelo outro

Busque satisfazer a obra, a equipe, mas não fique satisfeito. A satisfação paralisa, adormece, entorpece.

O líder é aquele que obtém satisfação procurando satisfazer a obra e os outros. Cuidado com gente que acha que tudo está do jeito que poderia ser. Gente assim não avança, é gente que, como apontamos, não tem dúvida. Nós temos um grande temor – no Brasil, especialmente – em relação à ideia de dúvida. Por uma deformação que em parte teve origem na escola. O professor ou a professora terminava a aula e dizia assim, geralmente em tom ameaçador: "Alguma dúvida?" E ninguém se manifestava. Vez ou outra, alguém levantava a mão e o resto da classe caía matando. Entretanto, a inteligência está em ter dúvidas e não em não tê-las. Não haveria o avanço das ciências, dos negócios, da economia, da vida pessoal se a gente não tivesse dúvida. Mas o arrogante não duvida de nada, nunca! Como ressaltei, ele é cheio de certezas.

É bom ter cuidado também com quem concorda com você o tempo todo, em tudo o que você faz. Gente que concorda com tudo o que você faz ou não gosta de você ou começou a se preparar para o derrubar. Porque gente que lhe respeita discorda de você quando tem que discordar. Do contrário, você não consegue crescer. Um concorrente burro te emburrece. Um adversário fraco o enfraquece, porque ele o deixa satisfeito e tranquilo em relação à situação. E essa é uma coisa muito séria.

Eu tenho um colega na PUC-SP. E a gente se "odeia" há trinta anos. Tudo o que eu escrevo, ele escreve contra e vice-versa. Eu lanço um livro, ele fala mal. Ele vai disputar um cargo, eu disputo também. Toda semana a gente se encontra e almoça junto. Sabe por quê? Porque ele me faz crescer, ele discorda de mim, ele consegue fazer com que eu melhore. Em outubro de 2005, lancei o livro *Não espere pelo epitáfio – Provocações filosóficas* no Auditório do Sesc da Avenida Paulista em São Paulo, em evento conjunto com Leonardo Boff (quando ele lançou a magnífica trilogia *Virtudes para outro mundo possível*). Era uma quinta-feira. Na segunda-feira seguinte, fui à universidade e passei ao lado do meu "odioso" colega com o livro debaixo do braço e perguntei-lhe se havia lido minha nova obra. Ele respondeu:

– Li e não gostei.

– Ah, inveja sua! Você não gostou porque não lançou nada este ano.

– Não. Não gostei daquela discussão que você faz da resignação como cumplicidade. Eu não achei completa.

– Isso aí é porque não foi você que escreveu.

Mas o que eu fiz quando cheguei à minha sala? Corri a ler o texto que ele apontou. É evidente. Eu o respeito,

ele me faz crescer. Ele me melhora. No dia em que ele
morrer – o desejo é que assim seja, claro – estarei segurando a alça do caixão dele no cemitério e chorando. Porque
no dia em que ele morrer eu vou ficar menos, vou ficar
menor.

Tomemos, pois, muito cuidado com a satisfação. A
satisfação paralisa, a satisfação adormece, a satisfação entorpece. A satisfação pode nos deixar num estado de tranquilidade. Sabe o que é o oposto? O que nos renova? É a
outra pessoa. A que nos desafia a ser diferente, a que nos
obriga a pensar de outro modo. Cuidado com gente que
concorda com tudo o que você faz. Gente assim:

a) não gosta de você;

b) começou a se preparar para lhe derrubar;

c) lhe despreza;

d) não se importa com você;

e) todas as alternativas acima.

Porque quando você tem verdadeira consideração com
a outra pessoa, você a corrige, discorda dela. Afinal de
contas, nenhum de nós é imune a erro. Só se constrói futuro quando a gente é capaz, inclusive, de arriscar. O pior
risco para construir futuro, para quem tem sucesso, é se
achar invulnerável. Já vi dezenas de empresas quebrarem
por se acharem invulneráveis. Acharam que já haviam
atingido um nível tal que, dali em diante, era só sossegar.

O sucesso precisa ser sucedido! O sucesso precisa ter
sucessão. Um sucesso que se satisfaz é um sucesso que paralisa. **Excelência não é um lugar aonde você chega. Excelência é um horizonte**. No dia em que você achar que

chegou à excelência, você sossega. E aí você dança. Num mundo que muda velozmente, você passa do primeiro lugar a desclassificado do jogo em menos de um ano. Isso não é para nos deixar em estado de tensão, mas em estado de atenção. Ou seja, não descuidar e não achar que se é invulnerável.

Só será possível construir futuro e buscar excelência se formos capazes de conviver, dentro da igualdade, com a diferença das atividades que cada um faz. Num mundo que muda velozmente, uma empresa só se fortalece se estabelecer condições de sinergia.

Sinergia significa "força junto". E, nesse sentido, fazer "força junto" obriga a olhar o outro como outro, e não como estranho. Num mundo que muda com velocidade, se eu não olhar o outro como fonte de conhecimento para mim, independentemente de onde ele veio, de como ele faz, do modo como ele atua, eu perco uma grande chance de renovação.

O outro me renova, nós nos renovamos.

Tempos velozes

*Quando o jogo e a estratégia
mudam rapidamente, não basta
se contentar com o possível.
É preciso fazer o seu melhor.*

O mundo está mudando. Mas a novidade não é a mudança do mundo, porque o mundo sempre mudou. A novidade é a velocidade da mudança. Nunca em toda a história humana se mudou com tanta velocidade. Aliás, a velocidade é tamanha que mudou a nossa noção de tempo. Cada dia você levanta mais cedo e vai deitar-se mais tarde. Sempre com a sensação de que deveria estar mais tempo acordado. Parece que é preciso estar o tempo todo em estado de vigília.

Velocidade, mudança, alteração – tudo é *fast*. *Fast-food*, *drive-thru*, lava-rápido. Você lavaria seu carro em um lava-lerdo? Por que não? Onde está aquele ditado que diz que "a pressa é inimiga da perfeição"? E aquele que diz que "devagar se vai ao longe"?

A velocidade é tanta que mudou a ideia de geração. Há vinte anos, choque de gerações era entre pais e filhos. Aliás, considerava-se geração um tempo de 25 anos, porque supostamente por volta dessa idade a pessoa teria um descendente e aí viria uma outra geração. Hoje, choque de gerações é imediato. Um jovem de 28 anos é considerado ultrapassado pela moça de 26 anos e ambos são vistos como ultrapassados pelo rapaz de 22. Eles não cortam o cabelo do mesmo jeito, não apreciam o mesmo gênero musical e não usam o mesmo tipo de roupa.

Quando criança, eu usava o termo "antigamente" para me referir a gregos e romanos. Já esses jovens falam "antigamente" em relação a fatos que não ultrapassam duas décadas. E nos inquirem:

– É verdade que antigamente não tinha controle remoto?

– É verdade.

– Então, antigamente era preciso levantar para mudar de canal?

– Sim.

Até a maneira de disputar uma partida de futebol mudou. Nos anos 1970, um jogador de futebol corria, por partida, seis quilômetros em média. Hoje, estatística refeita, um jogador percorre, em média, o equivalente a 13 quilômetros por jogo. Não mudou o tamanho do campo, nem a duração da partida e tampouco o número de jogadores. O que mudou? A velocidade do jogo, o ritmo e a estratégia.

Algo similar ocorre no mundo das empresas. Mudou o jogo, mudou a estratégia. E tem gente que acha que dá para fazer do mesmo jeito que já fazia antes. Os cenários são turbulentos, as condições se alteram e as mudanças são muito velozes. A coisa mais perigosa num mundo que muda velozmente é achar que já se chegou aonde podia. Ou seja, sossegar. A pior coisa para construir futuro é achar que o passado já sustenta. Sabe qual é o maior pecado para quem quer criar futuro? Achar que já está pronto, achar que já sabe, achar que já ficou bom. Cuidado! O seu cliente, o seu consumidor tem de ficar satisfeito, mas você jamais pode ficar satisfeito.

Nós, brasileiros, temos um vício, que é muito perigoso, de nos contentar muitas vezes com o possível, em vez de procurarmos o melhor. Por exemplo, você chega ao mecânico: "O meu carro está com um problema, estou ouvindo um barulho". Ele fala: "Vou fazer o possível". Você fica desanimado, mas aceita.

Nessas horas, temos de aprender com os norte-americanos. Não devemos aprender tudo com eles, nem devemos rejeitar tudo o que vem deles. Mas quando se pede algo a um norte-americano, ele diz: *I will do my best*, ou "Vou fazer o meu melhor". Não é uma diferença de idioma, é uma diferença de atitude. Há uma diferença estupenda entre o possível e o melhor. Num mundo competitivo, para caminhar para a excelência é preciso fazer o melhor, em vez de contentar-se com o possível. Fazer o possível é o óbvio. Agora, fazer o melhor é exatamente aquilo que cria a diferença. Se o mecânico responde: "Vou fazer o meu melhor", você já se anima, confia.

Imagine você, submetido a uma cirurgia de extirpação do apêndice, e deitado, olhando para o médico a caminho do centro cirúrgico:

– Doutor, vai dar certo minha cirurgia?

— Vou fazer o possível.

Nessa hora você quase falece. Agora pense em como se sentiria se a resposta fosse ligeiramente diferente:

— Doutor, vai dar tudo certo?

— Vou fazer o meu melhor.

Já imaginou? E essa busca pelo melhor exige humildade e exige que coloquemos em dúvida as práticas que nós já tínhamos.

Porque se as práticas que tínhamos e temos no dia a dia fossem suficientes, já estaríamos melhor.

Vitalizar constantemente

O líder é aquele capaz de inspirar as pessoas. Inclusive no momento em que a crítica é necessária.

O que é liderar? É ser capaz de inspirar. Inspirar pessoas, ideias, projetos, situações. O líder é aquele que infla vitalidade. Eu não estou usando a palavra "inspirar" à toa. A noção de inspirar é dar vitalidade. É animar. O líder é capaz de animar. Eu estou usando a palavra "animar", que vem do latim *anima*, que significa "alma". E a ideia de animação resulta de uma tradução latina do grego *pneuma*. Em grego, *pneuma* significa "ar", de onde vem "pneumonia", "pneumático", "pneu". Mas *pneuma*, em grego arcaico, significava também "espírito vital". Por isso a tradução para o latim do grego *pneuma* foi a palavra *anima*, de onde vem "animal", "animação", "animado". A tarefa fundamental que desenvolve a liderança é ser capaz de inspirar as pessoas. Muita gente não é capaz de inspirar, só é capaz de expirar. Tirar a animação, tirar a vitalidade. Se você é alguém que só expira, talvez não consiga ser líder, talvez consiga ser chefe. Mas chefe está ancorado em uma hierarquia.

Como disse, fui Secretário de Educação da cidade de São Paulo, ao suceder Paulo Freire, com quem tive atividades por 17 anos. E nos dois primeiros anos em que Paulo Freire era secretário na capital paulista, eu era o adjunto.

Paulo Freire era um líder estupendo. Ele conseguia inspirar. Ele era meu chefe na hierarquia, mas era também um líder. Tanto que, quando ele me chamava na sala dele para me dar uma bronca, eu ia animado. Porque eu sabia que ia sair de lá melhor. Eu sabia que, mesmo que fosse para tomar uma repreensão ou para corrigir uma rota, eu criava uma boa expectativa ao entrar na sala dele: "O senhor me chamou?" E às vezes tomava uma chamada daquelas de cima abaixo. Não tinha problema. Eu saía de lá animado com a possibilidade de corrigir algo, por intermédio de alguém que eu respeitava e que estava fazendo aquilo para que a obra fosse maior. Isso é líder.

Tem líder que expira, aquele que te desanima o tempo todo. Aí não é líder, é só chefe. A secretária avisa: "O Dr. Fulano está lhe chamando". E você pensa: "Ai, saco". Antes de entrar na sala dele, um gesto absolutamente humano: parar diante da porta e suspirar, expirando: "O senhor me chamou?"

Às vezes, o chefe é alguém que consegue apenas expirar, desanimar, tirar a vitalidade, diferentemente do líder que, mesmo nas situações de correção de rota, de repreensão, de admoestação, de crítica coletiva é capaz de inspirar, desde que ele aponte a obra.

Existem duas características precípuas da liderança: o líder não nasce pronto, se forma. E liderança não tem a ver com idade, tem a ver com experiência. E vale observar que experiência não tem a ver com idade, tem a ver com intensidade, e não com extensidade.

Não se confunda intensidade com extensidade. Por exemplo: alguém que guie carro há trinta anos não necessariamente tem mais experiência do que alguém que guie há cinco anos. Pode ser que alguém habilitado há trinta anos faça somente dois trajetos por dia: vá para o trabalho e volte. Enquanto pode haver alguém que guie há cinco anos, mas passe o dia inteiro se deslocando. Aliás, líderes circunstanciais são aqueles que se formam em situações em que a experiência é intensificada.

Por exemplo: Qual o melhor tempo para você formar um ótimo médico? No período de residência, qual o melhor lugar para colocá-lo? Pronto-socorro. Porque a intensificação da experiência ali é tamanha. Onde você forma o melhor líder de pelotão? No combate. Quem aprecia filmes de combate sabe que oficiais eram tenentes, capitães com 22, 23 anos de idade. Quantos anos tinha o capitão Miller, do filme *O resgate do Soldado Ryan*? (1998). A personagem do Tom Hanks tinha 23, 24 anos. Onde ele se formou como líder? Na intensificação da experiência. Isso significa também que quando você lidera pessoas é adequado, sim, colocá-las não na fogueira, mas numa experiência intensa. Porque, ao intensificar a experiência, ela cresce e se fortalece.

Não confunda liderança com idade. Gente com cinquenta, sessenta anos de idade que tem muita experiência é gente que viveu experiências intensas. Não necessariamente extensas. Há gente com 25 anos de idade que tem um conhecimento mais profundo de mercado do que gente que nele está inercialmente há 20 ou 25 anos.

Há pessoas que desprezam o outro porque ele é muito jovem e há os que desprezam o outro porque ele é muito idoso. Ambos os casos são tolices. Porque quem despreza o outro perde uma fonte de renovação.

Cafezinho, com açúcar, adoçante e propósito

O líder é aquele que inspira, que anima as pessoas a se sentirem bem com o que fazem e a se sentirem integradas à obra.

Dois anos depois de assumir a Secretaria de Educação da cidade de São Paulo, Paulo Freire foi para outras atividades e eu assumi a secretaria. Não quero ser demagógico, mas eu tinha aprendido com Paulo Freire e queria ser líder também para aquelas pessoas que estavam ali na Secretaria de Educação, que é uma máquina imensa. Na época, eram 700 escolas, um milhão de alunos, 45 mil professores. A maior secretaria da cidade de São Paulo é a da Educação. Só o orçamento dela no início dos anos 2000 era de R$ 3 bilhões, verba maior que o total de alguns estados brasileiros.

Eu despachava no 13º andar de um prédio na Avenida Paulista. No mesmo local ficava a contabilidade, onde uma menina passava o dia inteiro fazendo Nota de Empenho para liberação de verba. Ao lado dela, as máquinas de cópias, nas quais um menino passava o dia inteirinho reproduzindo materiais. E, do outro lado do andar, ficava a cozinha, onde a Dona Carmen fazia o café e nos levava nas salas. O que eu percebi? Que aquelas pessoas não estavam animadas. Embora elas estivessem numa atividade importante e eu dissesse para elas que educação era uma coisa fundamental, havia um problema: elas não conseguiam reconhecer a obra. Porque o menino que tirava cópia de documentos achava que o trabalho dele era tirar cópia de documentos. A moça que fazia Nota de Empenho achava que o trabalho dela era fazer Nota de Empenho o dia inteiro. E a mulher que fazia café achava que a obra dela era servir café. O que eu comecei a fazer? Cada vez que eu saía para visitar uma escola, inaugurar uma outra, ir a uma reforma, a uma festa – e essas atividades ocorriam quase todos os dias –, comecei a levar um deles comigo no carro oficial. Levava o menino que tirava cópia, a menina que fazia Nota de Empenho, a Dona Carmen que servia café. E comecei a fazer isso com outros funcionários. Qual foi o efeito? Eles começaram a enxergar a obra. O menino que tirava cópia o dia inteiro começou a entender que o trabalho dele não era tirar cópia. Era fazer Educação. A moça que fazia café percebeu que o fato de ela passar o dia inteiro levando café para lá e para cá não significava que a obra dela na vida era fazer café, mas sim fazer Educação. Que aquilo se transforma em criança correndo, em aula, em alegria, em problema, em solução. É nesta hora que as pessoas começam a se sentir bem. Sentir-se bem não depende exclusivamente de salário, não depende exclusivamente de condições materiais. Depende da sua visão sobre a obra, de sentir-se integrado a ela e importante para sua edificação.

A obra de uma empresa é trabalhar com o cliente, deixá-lo completamente satisfeito? É trabalhar com o acionista, deixá-lo feliz? Claro. É fazer com que o funcionário se sinta bem. Sentir-se bem implica sim condições materiais adequadas, mas elas não são decisivas. Se fosse assim, não haveria ninguém trabalhando em educação pública, hospital público, em creche etc. Afinal de contas, são áreas que materialmente portam uma precariedade muito grande. A pessoa se orgulha da obra. Todo ano, 15 de outubro, Dia do Professor, a TV mostra uma matéria em rede nacional de uma professorinha no interior do Amazonas, que pega um barco ou que pega um cavalo e percorre quilômetros para dar aula. Um exemplo da importância da obra.

Eu trabalhei muitos anos no Rio Grande do Norte, ajudando a fazer uma cartilha de alfabetização que é usada lá até hoje. E, de vez em quando, encontrava a Dona Zefinha, uma professora que dava aula havia 25 anos. Andava 15 quilômetros todos os dias para dar aula. Era uma classe multisseriada. Na mesma sala havia vinte alunos: quatro do primeiro ano, cinco do segundo, três do terceiro – tudo misturado. E ela dava aula, pagava a merenda do bolso dela e o salário dela era o equivalente a quase R$ 90 por mês. Você pode dizer: "Mas isso é ilegal?" Lamento, continua sendo. Eu perguntava para ela:

– Dona Zefinha, por que a senhora dá aula?

– Ô, seu moço. Se eu não der aula, eles ficam sem ninguém. Só têm eu.

– Mas a senhora ganha um salário miserável. Se a senhora for cortar cana na época do corte a senhora ganha quase dez vezes mais do que isso.

– Ô moço, mas eles só têm eu. Você precisa ver como eles ficam felizes quando vêm aqui e quando eu vejo um deles andando para lá e para cá, e quando eu entro numa agência do banco na cidade e quem me atende é um daqueles meninos para quem eu dei aula há dez anos. O que eu ganho aqui não é isso que eles não me pagam. O que eu ganho aqui não tem preço.

Será que essa mulher está de bem com a vida? Claro. Mas pode-se argumentar: "Como alguém pode estar de bem com a vida com uma vida miserável?"

Cuidado: é melhor a gente qualificar o que significa miserável. Porque miserável talvez seja ser aprisionado pela ausência de visão da obra. Miserável talvez seja ser incapaz de sentir-se bem com aquilo que se faz. Claro, estar de bem com a vida não significa de maneira alguma que você não se canse. Aliás, o líder é aquele que inspira, que anima as pessoas a se sentirem bem com o que fazem. Não implica em não se cansar. Se você trabalha intensamente num projeto, é claro que vai ficar cansado. Se uma empresa estipula uma meta para o próximo ano, e você se mobiliza juntamente com a sua equipe, é claro que vai ficar cansado. Mas não vai ficar estressado. De onde vem o estresse? De duas fontes: primeiro, de não enxergar o resultado da obra e, segundo, de não conseguir partilhar o processo de trabalho ou responsabilizar os outros.

No saldo final, perde-se a visão de equipe, esvai-se o sentido, fraqueja a razão de ser e se obscurece a obra.

Cinco competências essenciais na arte de liderar

Atributos imprescindíveis para o pleno exercício da liderança.

Líderes são homens e mulheres que ajudam indivíduos e equipes a fazerem a travessia rumo ao futuro. Atualmente, a necessidade não é estar partindo o tempo todo, mas sim estar preparado para partir.

O nome que se dava à tripulação de um barco na Antiguidade latina há 700 anos, no mundo do final da Idade Média, era *companhia* No cerne da palavra está o pão, que era o único alimento que durava, que sobrava sem estragar. Por isso, *companhia* era a expressão originada no latim da junção *cum, pan, ia*, que significa "vão com o mesmo pão". "Companhia", portanto, assumiu o sentido de "aqueles que repartem o pão". Daí vem "companhia marítima", "companhia comercial", "companhia militar", assim como as expressões "companheiro" e "companheira" – aquele e aquela que reparte o pão com você em direção ao futuro.

Como o líder precisa ser companheiro e também ter o outro como companheiro, ao mesmo tempo em que ajuda a companhia em sua transição para o futuro, cabe a ele cultivar cinco competências essenciais nessa grande arte da interação.

1) Abrir a mente – *O líder deve ficar atento àquilo que muda e estar sempre disposto a aprender.*

O detetive fictício do cinema chinês Charlie Chan sempre dizia: "Mente humana é como para-quedas, funciona melhor aberta". Tem gente que é incapaz de abrir a mente. Esquece que o mundo muda e muda com velocidade. Só para se ter uma ideia, já se completou mais de uma década que o cientista escocês Ian Wilmut conseguiu gerar a ovelha Dolly (o primeiro mamífero clonado a partir de uma célula adulta, que viveu de 1996 a 2003). Quando a Dolly estava sendo criada, sabe o que não existia em nosso cotidiano, em termos de tecnologia de consumo em larga escala? Quase não se usava celular, não se usava internet em comunicação. Uma parte das operações era feita por fax. E, antes um pouquinho, usava-se telex. Dizem, aliás, que, em 1991, o último operador de telex foi demitido por fax. Quando a Dolly foi criada, a TV a cabo estava começando no Brasil. Você dispunha de cinco ou seis canais para assistir. Não existia DVD. Na virada dos anos 2000, você queria comprar um DVD no Natal, mas só tinha nos EUA. E não dava. Em 2001, você começou a pensar em comprar. Na Copa de 2002, você ficou animado, pois começava a ser vendido no Brasil por R$ 1.200. Em

2004, você comprava um por R$ 650. No final de 2005, custava R$ 300. Quanto custa agora? R$ 190. Quer pagar quanto? Em cinco anos, aquilo que era objeto de desejo passou a ser brinde. Você assina uma revista e leva um aparelho DVD. Daqui a pouco, você vai à feira e, com dois cachos de banana, leva um aparelho de DVD. E tem gente que se recusa ao novo: "Isso aí eu não quero usar, isso aí é bobagem". E se bobear, você ainda não sabe usar aquilo. E tem muita gente que vai assistir a um filme no sábado ou no domingo à tarde e chama o filho de dez anos para instalar aquilo. E aí o moleque, sem querer, faz uma coisa muito safada, vai embora antes de o filme terminar. E você fica em estado de pânico. Porque, quando acaba, você não sabe o que fazer com aquele controle na mão e aquela tela na sua frente. Aliás, não duvido que muita gente ainda fique matutando: "Onde é que rebobina isso aqui?"

Primeira competência do líder: abrir a mente, isto é, ficar atento àquilo que muda, em vez de desistir.

Quando acontece a desistência, a pessoa fecha a mente.

2) Elevar a equipe – *O liderado percebe claramente quando você é capaz de, ao crescer, levá-lo junto.*

Um líder que não eleva a equipe, que só pensa no próprio crescimento, não é um líder, é um chefe, no sentido hierárquico do termo. O líder é aquele que eleva a equipe, ele não sobe sozinho. Você será um líder inspirador quando, ao subir, levar junto o teu subordinado, o teu liderado.

Cuidado, porque muita gente, na chefia, usa a chamada "filosofia do trapezista". O trapezista vem para fazer o espetáculo, levanta a escada, alguém segura a escada para ele subir e, quando ele chega lá em cima, empurra a escada e ninguém sobe mais. Faz parte da atividade dele, mas, no nosso caso, quem assim age nas organizações é meramente oportunista, alguém que usa as outras pessoas para seus propósitos privados e mesquinhos.

O líder é aquele que consegue elevar a equipe; quando ele cresce, a equipe cresce com ele. Aquele que é capaz de fazer isso sabe que a equipe vai respeitá-lo, inclusive, se precisar fazer sacrifício, se perceber que ele não se beneficia sozinho. Aliás, o poder é para servir e não para se servir.

Reafirmemos: **um poder que se serve, em vez de servir, não serve.** Isso vale para a política, para a condução da nação, para a condução de áreas de gestão, para a condução de empresas, de famílias, de tudo. O poder está a serviço de uma obra coletiva e o liderado percebe claramente quando você é capaz de, ao crescer, levá-lo junto. E não é necessariamente de natureza financeira (isso também, quando possível). Mas fazê-lo de uma maneira que ele perceba que é parte de uma obra grande.

Porque, do contrário, ele não participa, não realiza a obra.

3) Recrear o espírito – *As pessoas devem se sentir bem e ter alegria onde estão. Seriedade não é sinônimo de tristeza. Tristeza é sinônimo de problema.*

Hoje se fala muito de ócio criativo, que é uma ideia magnífica do sociólogo italiano Domenico de Masi, mas algumas empresas estão transformando ócio criativo em parte do trabalho. Criando, inclusive, mecanismos para o ócio criativo. Ou seja, ócio criativo com horário marcado. E aí se torna ócio obrigatório, ou seja, mais trabalho.

Tenho usado mais a expressão **ócio recreativo** porque *recreare*, em latim, é criar de novo. O recreio que as crianças têm na escola é o lugar de criação, onde brincam e realizam suas atividades. Esse ócio recreativo precisa ter espaço hoje nas organizações. Ócio recreativo não é descompromisso, é a capacidade de a pessoa fazer o que quer, inclusive com momentos de não trabalho que não sejam obrigatoriamente para compor a carreira ou o perfil profissional. Ócio não significa não ter o que fazer, é poder escolher o que fazer.

Ócio é ócio recreativo, o que significa que as pessoas têm de se sentir bem e ter alegria onde estão. Cuidado para não cair numa armadilha. Seriedade não é sinônimo de tristeza. Tristeza é sinônimo de problema. Uma aula séria não é necessariamente uma aula triste. Uma palestra séria não é uma palestra triste. Claro que a palestra séria é aquela em que você tem conteúdo, mas também alegria nela.

Um ambiente de trabalho precisa ser alegre. Não é descompromissado, não é um ambiente de baderna.

Sem alegria não há motivação. Como alguns de nós tivemos o ensino de literatura. Como alguns de nós recebemos a instrução para fazermos a leitura de livros. A professora chegava no dia 29 de junho: "Aproveitando que vocês estão entrando de férias, vocês vão ler *Irmãos Karamazov*, de Dostoievski". E você pensava: "Como eu posso aproveitar as férias se ela está me dando uma tarefa?" E aí sabe o que você fazia? Tinha ódio de Dostoievski. Sabe o que você fazia? Pegava o livro no dia 1º de julho, contava o número de páginas, dividia pelo número de dias de férias e calculava quantas páginas ia ler por dia. Lia no primeiro, no segundo dia, depois não lia mais. Resultado: uma série de nós cresceu com ódio da leitura.

Porque também passou 14 anos na escola fazendo análise sintática. Ou seja, o professor, em vez de colocar você para jogar, ficou lhe ensinando regra. Já imaginou ficar aprendendo regra de futebol para nunca entrar em campo? Pergunto a quem estudou Língua Portuguesa por 14 anos, dos 7 aos 21 anos, qual é a diferença entre um adjunto adnominal e um complemento nominal? Poucos, pouquíssimos sabem a resposta.

Falta alegria. Por isso que seu filho ou seu neto, quando estavam na escola infantil, de quatro a seis anos, queriam ir para a escola todos os dias. No começo eles tinham medo porque era um ambiente estranho, mas depois queriam ir toda hora. Porque brincavam, aprendiam, faziam uma série de coisas informalmente. E aprendiam de fato. Aí veio a primeira série e eles gostavam só da hora do recreio...

Não se trata de criar um ambiente descompromissado, mas um em que jamais o líder admita a tristeza como sinônimo de seriedade. Às vezes você está triste no trabalho porque tem um problema ou porque alguma coisa não deu certo, mas isso não é sinal de seriedade.

4) Inovar a obra – *Liderar pressupõe a capacidade de se reinventar, de buscar novos métodos e soluções.*

Ser capaz de inovar a obra, não ficar dentro do *mesmo* o tempo todo. Ser capaz de fazer de outro modo, ser capaz de ir adiante. Gosto sempre de relatar nos textos e palestras: o menino ou a menina que entrou este ano na primeira série do ensino fundamental, com seis para sete anos de idade, antes de pôr o pezinho na sala de aula, para ser formalmente alfabetizado, já tinha assistido cinco mil horas de televisão. Calcula-se que uma criança assista, em média, a três horas de TV por dia a partir dos dois anos de idade. Isso dá mil horas por ano. Dos dois anos até os sete anos, ela assistiu cinco mil horas de televisão. Ela viu Discovery Channel, viu National Geographic, viu Globo Repórter, viu novela, viu noticiário, viu filme de violência, viu propaganda, viu horário eleitoral, viu filme pornográfico, viu Topa Tudo por Dinheiro, viu programa de auditório, viu CPI, viu os atentados às torres de Nova York, viu jogo daquele time de futebol que não mencionarei – a todo tipo de horror que você possa imaginar ela assistiu. Aí ela sentou no primeiro dia de aula lá no fundo e nós, professores, líderes do processo pedagógico, começamos a aula dizendo: "A pata nada". Quase que eles levantam e falam: "Levem-me ao seu líder". Às vezes você está dizendo para o seu cliente, para o seu chefe, para o seu subordinado, para o seu mercado, para a concorrência: *"A pata nada"*.

5) Empreender o futuro – *Não nascemos prontos, também não somos inéditos, mas tampouco somos ilhas.*

Ser capaz de construir o futuro é pensar nas estratégias, nas condições e nas possibilidades. Insisto tanto nisso que até escrevi livro sobre o tema: uma frase que circula por aí, que diz que uma pessoa quanto mais ela vive mais velha ela fica. Uma pessoa, para que quanto mais vivesse mais velha ficasse, teria de ter nascido pronta e ir se gastando. Isso não acontece com gente, isso acontece com fogão, com sapato, com geladeira. Gente nasce não-pronta e vai se fazendo. Eu, Cortella, este ano, sou a minha mais nova edição, revista – um pouco ampliada –, mas a minha mais nova edição. Eu não nasci pronto e vim me gastando. **Eu nasci não pronto e vim me fazendo.** Eu não sou inédito. Porque, para isso, o processo para eu me fazer teria de ser linear e não é. Ele é quase elíptico, algumas coisas eu trouxe comigo, outras eu deixei no passado. Não sou inédito, mas sou novo.

O líder é aquele que é capaz de expor a capacidade de crescer coletivamente. Luciano de Crescenzo (presidente da IBM na Itália até fazer cinquenta anos de idade, quando deixou a vida corporativa e foi ser ator de teatro e escrever livros de Filosofia) é autor de frase que registro amiúde em todos os lugares que acesso: "Somos todos anjos com uma asa só; e só podemos voar quando abraçados uns aos outros". Dizendo de outro modo: **"Homens são anjos com uma só asa. Para voar, precisa grudar no outro".**

Por que a gente, quando se encontra, bate nas costas no outro? Para ver se a asa do outro está lá. Se não estiver, você não voa. E tem gente que passa a vida desprezando a asa do outro. Porque é uma asa feminina ou masculina. Porque é uma asa de alguém que não é da sua área. Porque é uma asa de um outro sotaque. Porque é uma asa de uma outra nação. Porque é uma asa de outra cor. Porque é uma asa com menos cargo.

Então, o que é um líder? É um instrutor e um parceiro de asas.

Por isso, concluo esta inquietação lembrando do "companheiro" do início e do mesmo modo como um dia terminei meu livro *A escola e o conhecimento* (Cortez). Com um ditado chinês que diz o seguinte: "Quando dois homens vêm andando na estrada, cada um carregando um pão, e trocam os pães quando se encontram, cada um vai embora com um pão. Mas, quando dois homens vêm andando na estrada, cada um com uma ideia, e ao se cruzarem trocam as ideias, cada um vai embora com duas ideias".

Essa é a finalidade de líderes bem preparados e liderados bem conduzidos: juntar-se digna e eticamente a fim de trocar ideias para todos terem pão.

ÉTICA

A nossa casa

Quero? Devo? Posso? Três perguntas essenciais para cuidarmos da vida coletiva.

É impossível pensar em ética se a gente não pensar em convivência. Afinal, o que é a ética? A ética é o que marca a fronteira da nossa convivência. Seja com as outras pessoas, seja com o mercado, seja com os indivíduos. Ética é aquela perspectiva para olharmos os nossos princípios e os nossos valores para existirmos juntos. Quando o seu pai falava "nesta casa não se faz isso", o que ele queria dizer com isso? Que "neste convívio, neste lugar onde somos o que somos, onde temos a nossa família, não se faz isso". Por isso, algumas empresas dizem: "Não fazemos qualquer negócio". Porque existem outras cujo lema é "fazemos qualquer negócio".

As que sustentam o princípio de "Não fazemos qualquer negócio" são as que têm a capacidade de desenvolver conhecimento e tecnologia para gerar vida, não para diminuí-la. Para gerar proteção da vida.

Qual é o nome do conjunto de princípios e valores de conduta que uma pessoa ou um grupo de pessoas tem?

Ética. E de onde vem a palavra "ética"? Do grego *ethos*, que até o século VI a.C. significava "morada do humano". A expressão *domus*, em latim, é uma tradução do grego *ethos*. *Ethos* é o lugar onde habitamos, é a nossa casa. "Nesta casa não se faz isso", "nesta casa não se admite tal coisa". *Ethos* também significa "marca" ou "caracter". Eu vou usar "caracter" com "c", como o jeito lusitano de escrever, de propósito. Porque você fala em "caracter", "característica" é aquilo que te marca. *Ethos* é a morada do humano, *ethos* é a fronteira entre o humano e a natureza. Quem manda nos outros animais? Tem um cachorro autonomia? Tem um cavalo autonomia? Em nenhum momento. Eles obedecem a regras que são anteriores e superiores a eles. Qual o nome que a gente dá a essas regras da natureza? Instinto.

Nós, humanos, vivemos em condomínio. **Nós temos autonomia, porém não temos soberania**. Não agimos por instinto. Agimos por reflexão, por decisão, por juízo. A ética é o conjunto de princípios e valores da nossa conduta na vida junta. Portanto, ética é o que faz a fronteira entre o que a natureza manda e o que nós decidimos. A ética é aquilo que orienta a sua capacidade de decidir, julgar, avaliar. Só é possível falar em ética quando falamos em seres humanos, porque ética pressupõe a capacidade de decidir, julgar, avaliar com autonomia. Portanto, pressupõe liberdade.

A ética é um conjunto de princípios e valores que você usa para responder as três grandes perguntas da vida humana: Quero? Devo? Posso?

O que é a moral? A prática da resposta.

Nós vivemos muitas vezes dilemas éticos. Há coisas que eu quero, mas não devo. Há coisas que eu devo, mas não posso. Há coisas que eu posso, mas não quero. Quando você tem paz de espírito? Quando tem um pouco de felicidade? Quando aquilo que você quer é o que você deve e o que você pode. Todas as vezes que aquilo que você quer não é aquilo que você deve; todas as vezes que aquilo que você deve não é o que você pode; todas as vezes que aquilo que você pode não é o que você quer, você vive um conflito, que muitas vezes é um dilema.

Uma empresa para trazer a ética para o dia a dia precisa manter vivas essas questões entre seus funcionários, fomentando a reflexão e o comportamento crítico. Parodiando a antiga e verdadeira frase sobre democracia, a ética é uma plantinha frágil que deve ser regada diariamente. E a melhor forma de fazer isso é trazer o tema para o cotidiano, lembrando que a ética não é algo que nos dê conforto, mas algo que nos coloca dilemas.

Você, executivo de uma empresa, precisa, por exemplo, desembaraçar uma carga que está no Porto de Santos. A nova peça para uma parte essencial da usina. Não dá pra desembaraçar pelo trâmite normal antes de seis meses. Mas existe "taxa de facilitação". Pagar ou não pagar? Aí você pensa assim: "Se eu não pagar, a gente fica sem a peça e vai paralisar parte da usina. Com isso, não só diminuirão a lucratividade e a produção, como possivelmente o número de empregos naquela área será reduzido. Então, embora seja imoral pagar propina, há uma justificativa para isso, existe um mal menor". Pagar ou não? Pode-se pagar e começar a criar um mau hábito nessa área ou ter que dar um basta e assumir o risco. Há empresas que se recusam terminantemente a pagar propina. "Nós perdemos negócios, mas não pagamos." Os acionistas concordam? Sim. Está nos princípios. Se eles concordam, não se paga, perde-se o negócio, diminui-se a lucratividade, perde-se até a rentabilidade, mas não se abre mão dos princípios. Qual a lógica que alguns usam? A necessidade de criar futuro. Qual a suposição que eles têm? Que esse sistema de apodrecimento das relações de negócio cada dia aumenta mais e, num determinado momento, vai desabar.

Portanto, o que é ética? São os princípios que você e eu usamos para responder ao "Quero? Devo? Posso?" É preciso remarcar: isso não significa que você e eu não vivamos dilemas. Eles existem, e serão mais tranquilamente ultrapassados quanto mais sólidos forem os princípios que tivermos e a preservação da integridade que desejarmos.

Os antiéticos e os aéticos

Quem tem princípios e valores para decidir, avaliar e julgar está submetido ao campo da ética.

Existe alguém sem ética, posso falar que alguém não tem ética? Ou eu devo dizer que aquilo é antiético? Aquele que frauda o imposto, aquele que pratica corrupção, aquele que para o carro em fila dupla praticou um ato não ético ou antiético? Posso eu dizer que alguém não tem ética? Não. Por quê? Porque, se você tem princípios e valores para decidir, avaliar e julgar, então você está submetido ao campo da ética.

Não existe "falta de ética". Essa expressão é equivocada, talvez o que se queira dizer é: "Isto é antiético", algo contrário a uma ética que esse grupo compartilha e aceita. Posso dizer que um bandido tem ética? Posso. Ele tem princípios e valores para decidir, avaliar, julgar. O que eu posso dizer é que a ética que ele tem é contrária à minha e à sua. Então, é antiético. Não confunda aético – isto é, aquele a quem não se aplica a questão da ética – com antiético.

Existe algum tipo de ser humano que eu posso dizer que é aético? Sim, aquele que não puder decidir, avaliar, julgar. Por exemplo, o Imposto de Renda tem uma legislação que permite que seja seu dependente quem for incapaz: o menor até determinada idade, uma pessoa com muita idade, pessoas com algum tipo de deficiência.

A ética é o conjunto dos seus princípios e valores. Portanto, é muito mais do campo teórico. A moral é a prática, é o exercício das suas condutas. Eu tenho uma conduta no dia a dia, chama-se conduta moral. A ética são os princípios que orientam a minha conduta. Do ponto de vista teórico, ética e moral não são a mesma coisa. Estão conexas. Eu posso dizer que algo é imoral, mas não posso dizer que é aético. É imoral quando colide com determinados princípios que uma sociedade tem.

Um deputado que frauda o orçamento tem ética? Tem. Tanto ele tem uma ética, que, aquilo que a ele não pertence, pode ser tirado para ele. Aí, ele tem uma conduta moral, que é fraudar o orçamento. Um policial que aceita propina para não multar você, tem ética? Tem. E aquele que oferece a propina? Também tem. Toca o seu celular, é a sua esposa ou o seu esposo que está no consultório médico e precisa fazer uma pequena intervenção cirúrgica. A enfermeira acabou de fazer a ela a seguinte pergunta: "Com recibo ou sem recibo?" E ela está o consultando sobre a sua resposta. Você responderá a isso de acordo com os seus princípios e valores. Portanto, existem morais particulares, mas a ética é sempre de um grupo, sempre de uma estrutura maior, porque não existe razão para você ter princípios de conduta e valores se você vive só.

As situações em que você tem de decidir "sim ou não" o colocam num conflito. Uma palavra que designa conflito ético é, como falamos antes, "dilema". Dilema é quando você quer os dois, por isso é que seu prefixo é "di". Os dois podem ser escolhidos, mas apenas um é eticamente correto. Se você tem autonomia e liberdade, vive dilemas éticos. Não tem como não vivê-los. E você a eles vai sobreviver melhor quanto mais tiver claro quais são seus princípios e valores.

Eu, Cortella, fui criado em Londrina, no Paraná, até os 13 anos de idade, e meu pai, Antonio, era gerente de banco. Houve uma época em que o gerente morava na agência. Eu morei muitas vezes na agência do banco em Londrina, em Maringá, em Marialva. Até certa idade, meu lugar de brincar no banco era dentro do cofre. E houve uma época em que não havia transferência eletrônica e era tudo dinheiro vivo, portanto, o cofre era grande. Eu nunca esqueço a primeira vez em que eu entrei no cofre da agência, com seis anos de idade. Na hora em que eu fui entrar, meu pai chegou por trás de mim, pôs a mão no meu ombro e disse: "Filho, o que não é teu não é teu". Esse princípio ético orienta a minha existência.

Aliás, eu fui Secretário de Educação da cidade de São Paulo, movimentava um orçamento de quase três bilhões de reais anuais e, a cada passo que eu ia dar, a voz que ecoava: "O que não é teu não é teu". Quer ver um exemplo? Durante a minha gestão na secretaria, Pedro, o meu filho mais novo, tinha quatro, cinco anos de idade. Todos os dias, às sete da manhã, estava na porta do prédio onde residíamos o carro oficial me aguardando. Assim que eu saísse rua afora, o carro, por segurança, mesmo comigo fora dele, tinha que me acompanhar. Às vezes eu saía com o Pedro, e o levava a pé para a escola; ele entrava às 7h15. E 15 minutos era o tempo que eu levava para subir os quatro quarteirões até a escola dele. E eu subia a avenida segurando o Pedro pela mão e o carro ia nos acompanhando bem devagarzinho. A hora em que eu entregava o Pedro na escola, eu entrava dentro do carro.

Podia eu usar o carro oficial com o Pedro? Podia. Devia? Não. Por que não? Porque não era meu. E se não era meu, por que eu iria usar? Porque eu estava no serviço. Ah, mas o carro não estava subindo mesmo a avenida? Se ele já estava subindo, já estava gastando tempo, gastando a segurança, gastando o combustível, o que custava botar o Pedro dentro e subir? Não era ridículo eu andar a pé e aquele Opala de oito cilindros ir ao lado devagarzinho? Queria eu entrar? Às vezes. Às vezes, estava chovendo, frio. Queria, mas não devia, embora eu pudesse. Eu vivi ali um dilema ético.

Mas somente de acordo com os princípios e valores que eu tivesse para decidir, julgar e avaliar, iria conseguir com que a minha consciência ficasse em paz.

Uma pessoa inteira

*Integridade é o princípio ético para
não apequenar a vida, que já é curta.*

Benjamin Disraeli, grande primeiro-ministro do Reino Unido durante o reinado da Rainha Vitória, proferiu uma frase de que gosto muito: **"A vida é muito curta para ser pequena"**.

Integridade é o princípio ético para não apequenar a vida, que já é curta. Integridade é a capacidade de saber que "eu morro louco, mas ninguém arranca a minha inteireza". Integridade é honestidade, é sinceridade. Há pessoas que falam: "Mas isso no nosso país? Só um otário é honesto, íntegro e sincero". Essa é uma escolha.

Você obtém um pouco de sossego mental quando aquilo que você quer é também o que você deve e é aquilo que você pode. Quanto mais claros os princípios, mais fácil fica lidar com os dilemas. Você não deixa de ter dilemas, mas é preciso ter como razão central a integridade. O que é uma pessoa íntegra? É uma pessoa correta, justa, honesta, que não se desvia do caminho. É uma pessoa que não tem duas caras. Qual a grande virtude que uma pessoa íntegra tem? Ela é sincera.

De onde vem a palavra sinceridade? Ela tem várias acepções, porém a mais recente tem a ver com marcenaria. No século XIX, quando o marceneiro, ao trabalhar com aqueles móveis chamados coloniais, errava com o formão, ele pegava cera de abelha e passava naquele lugar para disfarçar o erro. *Sine cera* significa "sem cera", uma pessoa sincera é aquela que não disfarça o erro, ela assume. Em vez de fazer de novo, ele finge que está certo passando cera de abelha. É igual a certas pessoas que, quando vão mudar de casa, pegam pasta de dente e colocam em todos os furos de quadro para fazer uma maquiagem.

Ética não é cosmética. Ética é sinceridade. Sabe de onde vem a expressão original "sincera"? No latim *sine cera*, sem cera, vem da criação de abelhas. Qual é o mel puro, o da geleia real? É o mel sem cera. A noção de pureza está aí.

Mas ela vem do teatro também. O mundo romano herdou parte dos princípios do teatro grego. No teatro grego, da Antiguidade Clássica, de 2.500 anos atrás, havia uma situação muito interessante: todas as vezes que uma peça seria representada, os atores eram sempre homens, não havia espaço para as mulheres. Para que um ator pudesse fazer vários papéis, inclusive os femininos, eles construíam uma máscara feita de argila que seguravam na frente do rosto com uma varetinha. Que nome os latinos deram a essa máscara dos gregos? *Persona*. Daí vieram "personagem" ou "personalidade".

Aliás, tem gente que usa várias dessas máscaras. Deixa em casa uma, sai com outra. Se comporta no trabalho de um jeito e, em casa, de outro. Ele não admite, em casa, que a empregada doméstica se atrase um minuto, mas pouco se incomoda se ele mesmo atrasar. Ele acha que na empresa tem de ter mais participação das pessoas, quer participar das decisões de um determinado patamar da hierarquia para cima, mas não acha que deva haver democracia dali para baixo. "Inclusive esse povinho, se você não tomar cuidado, você dá a mão, eles querem o braço e depois arrancam tudo." É aquele cara que está com uma *persona* vendo televisão e fala: "Mas que horror, que nojo essa novela, só prostituição". Mas ele mesmo, no trabalho, dá uma "cantada" na secretária.

Os romanos herdaram do teatro grego essa ideia de homens representando todos os papéis, mas, em vez de construírem máscaras de argila, adotaram outra técnica: eles pegavam cera de abelha, misturavam com pigmentos vegetais e faziam uma pasta, que era passada no rosto. É por isso que uma pessoa sincera é uma pessoa sem máscara, que não tem duas caras, é aquela que não fala uma coisa e pensa outra, é aquela que não diz uma coisa e age de outro modo. A sinceridade é, de fato, um dos elementos constitutivos da integridade.

Uma das coisas que eu mais temo quando se tem um debate ético é a chamada adesão cínica. É quando o sujeito diz: "Nós temos de discutir ética, esse país só vai para frente com ética". Mas, ele mesmo, no dia a dia, comporta-se da seguinte maneira: "Isso é bobagem. O mundo é competitivo, a regra básica é cada um por si e Deus por todos. Cada um tem de se virar, senão a gente dança". Esse tipo de adesão cínica é muito perigoso.

Eu prefiro o mentiroso ao cínico. Porque o mentiroso é alguém que você captura a mentira dele, mas o cínico finge o tempo todo. E esse é o tipo mais deletério, porque dá a impressão de que está aderindo e, como não está, enfraquece a corrente daqueles e daquelas que acham que a vida é muito curta para ser pequena.

Os outros de nós mesmos

Visão de alteridade é a capacidade de ver o outro como outro, e não como estranho.

A ética é, antes de mais nada, a capacidade de protegermos a dignidade da vida coletiva. Afinal de contas, nós, homens e mulheres, vivemos juntos. Aliás, para seres humanos, não existe vivência, existe apenas convivência. Nós só somos humanos com outros humanos. A nossa humanidade é compartilhada. Ser humano é ser junto. Isso significa que é preciso que saibamos que a nossa convivência exige uma noção especial da nossa igualdade de existência, o que nos obriga a afastar do ponto de partida qualquer forma de arrogância.

Gente arrogante é gente que acha que já sabe, repitamos. Gente arrogante é gente que acha que já conhece. Gente arrogante é gente que acha que ela é o único tipo de ser humano válido que existe. Gente arrogante se relaciona com o outro – por conta do dinheiro que carrega, por conta do nível de escolaridade, por conta do sotaque que usa – como se o outro não fosse outro. Fosse menos.

Isso apequena a vida e apequena a alma, se se entender a alma como a sua identidade.

Gente arrogante é incapaz de prestar atenção. Você está dialogando com o arrogante, ele não presta atenção no que você está falando. Ele fica pensando enquanto você fala. Ele não quer nem saber o que você está falando. Ele só está esperando você parar para ele continuar falando. O arrogante esquece uma frase do grande teólogo catarinense Leonardo Boff, que diz que **"um ponto de vista é a vista a partir de um ponto"**. A ética, entre outras coisas, nos obriga a perceber essa multiplicidade de pontos de vista. O arrogante acha que só tem um ponto de vista que vale: o dele.

O arrogante é incapaz de ter uma das coisas importantes e que será a razão central da ética: a visão de alteridade. É a capacidade de ver o outro como outro, e não como estranho. Os latinos tinham uma expressão para "eu" que era *ego*. E usavam duas para falar de não eu: uma é *alter*, que significa "o outro", mas usavam também *alius*, para indicar "o estranho". Palavras em português que vêm de *alius*: "alienado", "alheio", "alien", "alienígena". Nos filmes de faroeste mais antigos, o nome que se dava para quem não era daquele lugar era "forasteiro", "estrangeiro". Aliás, em inglês se usa isso até hoje: *stranger* ou *foreigner*. Aquele que não é daqui, aquele que não é como nós, aquele que é, talvez, menos.

Visão de alteridade é a capacidade de ver o outro como outro, e não como estranho. Há pessoas que só conseguem olhar o outro como estranho, e não como outro.

Aliás, quem são os outros de nós mesmos? O mesmo que nós somos para os outros, ou seja, outros. A arrogância é uma coisa absolutamente complicada para isso, porque ela acaba marcando alguém pela incapacidade de ter a visão de alteridade.

Quer ver um exemplo? Trabalhei três anos no Rio Grande do Norte, ajudando a fazer uma cartilha de alfabetização, que é usada lá até hoje. Uma cartilha chamada *Raízes*, para a qual eu trabalhava como consultor; não era eu que estava escrevendo. Houve uma época em que as cartilhas eram feitas no Sul e no Sudeste e mandadas para o Nordeste. O que trazia uma estranheza, pois as pessoas de lá não conseguiam aprender a ler e a escrever. Não dá para alguém no sertão do Cariri aprender a ler vendo a palavra e o desenho "lasanha", que é uma coisa típica de uma região povoada por descendentes de italianos. E havia as professoras de lá, de Caicó, de Mossoró, de Pau dos Ferros, de Ceará-Mirim. Numa tarde de sábado, estávamos nós fazendo uma coisa que eles chamam de merendar. E lá pelas tantas eu falei: "Eu gosto demais de trabalhar com vocês, mas tem uma coisa que eu acho uma delícia aqui no nosso trabalho: o sotaque de vocês". E elas falaram: "Que sotaque? A gente não tem sotaque, é você que tem sotaque".

Um ponto de vista é uma vista a partir de um ponto. Só é possível falar numa ética que promova a vida digna coletiva se eu for capaz de olhar o outro como outro, e não como estranho. Aliás, é necessário afastar qualquer forma de arrogância, porque coloca essa condição negativa: supor que só exista um jeito de ser. E a fratura ética se origina, em grande parte, da arrogância e da ganância.

Não confunda ambição com ganância. A ambição faz a humanidade crescer, a ganância faz a humanidade regredir.

Ambiciosa é a pessoa que quer mais, gananciosa é a pessoa que só quer para si. A humanidade cresce porque as pessoas são ambiciosas, querem mais trabalho, mais lucratividade, mais conhecimento. A ganância, junto com a arrogância, são mecanismos de apodrecimento ético. Nós, humanos, somos um animal arrogante. Tão arrogantes que achamos que somos proprietários do planeta. Não somos. Somos usuários compartilhantes. Quais foram os animais mais poderosos do planeta antes de nós? Os dinossauros. Dominaram o planeta por 110 milhões de anos. Nós estamos dominando há quarenta mil anos e estamos achando que podemos fazer qualquer coisa.

Aliás, para cada ser humano no planeta há sete bilhões de insetos. Já imaginou se, para entender o que estamos fazendo com o planeta partilhado, hoje à noite só os seus vierem lhe visitar?

Fábula da coletividade

Nada nos dá legitimidade para supor que sejamos os proprietários da vida que neste planeta está.

Uma senhora vivia numa pequena chácara e tinha alguns animais: uma vaca, um porco, uma galinha. E lá também guardava milho na tulha. E havia um rato que morava lá. Esse rato vivia sossegado até o dia em que a mulher resolveu colocar uma ratoeira dentro da tulha. O rato saiu desesperado. Correu até a vaca:

— Vaca, nós estamos com um problema sério; a mulher colocou uma ratoeira lá.

A vaca deu risada:

— Como nós? Você já viu ratoeira pegar vaca? Eu não tenho nada com isso. Isso é problema seu.

E saiu ruminando. O rato correu até o porco:

— Porco, nós estamos com uma encrenca danada, a mulher colocou uma ratoeira lá.

— O que é isso? Eu estou aqui bem longe, isso não vai me pegar, não. Ratoeira não pega porco, olha o meu tamanho e olha o seu. O problema é seu.

O rato, atônito, correu para a galinha:

– Galinha, nós estamos com um problema muito sério.

– Pelo amor de Deus, eu já estou de problema por aqui e você ainda vem me torturar. O máximo que eu posso fazer é rezar por você.

– Mas tem uma ratoeira lá.

– Mas isso não é comigo, é contigo.

O rato foi embora desanimado. À noite todos dormiam e, de repente, *splaft*. A ratoeira desarmou. Todos correram para olhar, inclusive o rato; era uma cascavel que tinha sido pega na ratoeira. A mulher levantou-se, foi tirar a cascavel da ratoeira e tomou uma picada. Foi levada ao hospital à morte. Ficou vinte dias de recuperação e, na volta, precisava restabelecer a saúde na chácara. Qual a melhor comida para reforçar a saúde? Canja. Lá se foi a galinha. Depois de um mês, resolveu dar um almoço com feijão tropeiro para os parentes que a tinham ajudado e lá se foi o porco. A questão é que o tratamento tinha ficado caro e aí tiveram de vender a vaca para um açougue...

Cuidado: a ratoeira que aparece ali num canto pode não te pegar num primeiro momento, mas os efeitos dela são fortíssimos. A nossa arrogância é tamanha que nos consideramos proprietários do planeta, assim como alguns se consideram proprietários daquela diretoria, daquela área. Nós não somos proprietários, somos usuários compartilhantes.

Uma vez, um grande historiador britânico já falecido, chamado Arnold Toynbee, escreveu uma obra de história, intitulada *A humanidade e a Mãe-Terra*. Olhe a expressão:

Mãe-Terra. Nesta obra, logo no prefácio, ele aponta uma ideia que, vez ou outra, volta à cena, que é a noção de biosfera, ou seja, que o nosso planeta – e nós, claro, dentro dele – é uma esfera de vida, é uma bola de vida, e que o próprio planeta Terra seria um ser vivo. Tal como temos em nós, homens e mulheres, outros seres que em nós vivem, nós seríamos alguns dos habitantes deste ser vivo, que é o próprio planeta. Essa teoria não é sempre aceita no dia a dia. A ciência vez ou outra a discute, mas ela é algo que nos aponta, ao menos, uma referência. O conjunto do nosso planeta, a nossa Terra, como um todo e, sem dúvida, mais extensamente o nosso universo, é ele sim, este planeta, um ser onde a vida pulula, a vida ferve, a vida existe há pelo menos, ao que se calcula, cinco bilhões de anos.

Nós, homens e mulheres, não somos a única forma de vida. Nada nos dá legitimidade para supor que nós sejamos os proprietários da vida que neste planeta está. É importante que entendamos o que significa isso. Somos usuários compartilhantes, isto é, o planeta, ele é por nós usável como o nosso lugar de vida, como a nossa casa, mas nós compartilhamos este planeta com outras formas de vida. Este planeta é o lugar onde nós nos abrigamos, onde nós nos protegemos, assim como as outras bilhões e bilhões de formas de vida também o fazem. Aliás, a ciência calcula que, afora a espécie humana, por nós chamada de *homo sapiens*, em nosso planeta haja mais de trinta milhões de espécies diferentes com bilhões de seres vivos. Só para se ter uma ideia do que isso significa, em cada ser humano há mais seres vivos do que o número de seres humanos que há no planeta. Vivendo em você, vivendo em mim. Uns estão conosco há trinta anos, dependendo da sua idade, ou há vinte, cinquenta anos. Outros têm dez, 15 metros de comprimento. Outros acabaram de chegar em nós. O nome desta capacidade de viver sem anular a outra forma de vida, ou seja, de convivência biológica, é simbiose. A expressão *sim*, em grego, significa "junto" e *bio* é a própria ideia de vida. Portanto, a nossa relação no planeta é uma relação simbiótica. Nós vivemos juntos e juntas com todas as outras formas de vida.

Portanto, ao proteger a vida em geral nós estamos nos protegendo. Tudo o que for feito a Terra será feito a nós, tudo o que acontecer com o nosso planeta nos atingirá. Não é possível que, na relação hóspede-hospedeiro, o que acontece ao hospedeiro não atinja o hóspede. Nesse sentido, nós somos, no nosso planeta, hóspedes e hospedeiros ao mesmo tempo.

A vida não nos pertence, somos parte dessa vida. Por isso, é preciso discutir, ensinar, refletir e aprender também. Nós podemos, queremos e devemos. É nosso dever ético que façamos isso.

A escolha é sua;
já as consequências...

A decisão em um dilema é sempre individual. Mas as suas consequências podem afetar muitas outras pessoas.

As florestas nos pertencem ou pertencem ao planeta? As florestas, se destruídas, se quebramos a possibilidade de vínculo, de proteção ambiental, qual será o resultado sobre nós? Será que o poder econômico, isto é, a lucratividade – fazer móveis, utilizar para exportação, pegar madeiras nobres que estão aí há centenas de anos –, justifica-se porque nós somos livres? Não. Ao contrário, volto de novo à expressão: Quero? Devo? Posso?

Quando nós falamos em poluição da água, a cidade de São Paulo, onde vivo, tem esse problema crítico, que também está presente em cidades menores. É uma questão de consciência. Qual é o sentido? Posso eu atirar uma embalagem de garrafa ou uma lata no rio? Posso. Devo? Não, não devo. Quero? Não posso querer. Não posso querer destruir algo que vai trazer uma consequência maléfica, ruim para a nossa capacidade de existência.

Posso eu utilizar algum produto que libere um gás que seja negativo, aquilo que antigamente alguns de nós tínhamos em casa, que eram produtos com cloro-flúor-carboneto? Hoje já se discute a não utilização disso. "Ah, não. Mas eu sou livre, eu uso." E depois se diria até: "Ah, mas eu sou só um. O que custa? Se eu fizer não vai acontecer nada". Imagine. Volto a São Paulo, a maior cidade do nosso país, um exemplo do que pode acontecer em termos de controle da água, de poluição atmosférica de grande escala, mas que começou pequena. Como dizem sempre os soldados do Corpo de Bombeiros, nenhum incêndio começa grande. Todo incêndio começa com uma pequena fagulha, uma pequena faísca.

A poluição, o desequilíbrio ambiental começa com pequenos atos, que são seus e meus. Não são atos de grande estilo. Não é só a grande fábrica que solta fumaça, não são só os carros, eles também. Mas sou eu que, no dia a dia, a cada vez que pego um pedaço de papel, em vez de colocá-lo no lixo, jogo-o no chão. Já imaginou 11 milhões de pessoas na cidade de São Paulo jogando um papelzinho de chiclete ou de bala no chão todos os dias? Já imaginou se cada um e cada uma de nós achar que, quando está passando na estrada, pode atirar uma lata de refrigerante, em vez de reaproveitá-la? Já imaginou se cada um e cada uma de nós no planeta achar que "não tem importância se eu estiver derrubando essa árvore sem uma proposta de reposição"? Já imaginou se eu suponho que basta eu fazer, "eu sou só um".

Eu volto a esse argumento por uma razão muito séria. Eu sou só um. E o que faz o copo transbordar? A primeira gota ou a última? São todas as gotas. Qualquer gota que a gente tirar do copo, ele não transbordará. Não é a última gota que faz o copo transbordar. Daí que a relação entre ética e meio ambiente é um tema de cada indivíduo.

A propósito, a decisão a ser tomada quando se tem um dilema ético é sempre no âmbito individual. Em Nuremberg, na Alemanha, 23 generais nazistas foram a julgamento. Dos que sobreviveram e não dos que se suicidaram, 22 se valeram do mesmo argumento quando confrontados com a grande pergunta humana: Por que fizeram isso? Essa é a grande pergunta da vida. Dos 23, apenas um falou: "Fiz porque acreditava". Os demais 22 responderam: "Eu sou inocente, porque eu estava apenas cumprindo ordens".

Isso é a absoluta ausência de integridade. Mesmo cumprindo ordens, fez porque quis. "Mas se eu não fizesse, eu ia morrer." Lamento, a escolha é sua. Continua sendo escolha. Por isso não diga "não queria" quando escolheu. Porque, quando escolheu, queria. E se não queria, passou a querer quando fez a escolha. Quando aceitou o recibo por fora, quando aceitou parar em fila dupla, quando aceitou votar num parlamentar e depois não saber mais quem era ele, nem lembrar em quem votou na eleição seguinte. Saiba que, se não queria, passou a querer. Porque há uma coisa que é muito forte, que é a resignação como cumplicidade. Quando você e eu nos resignamos, nós aderimos àquilo que foi feito.

E a Alemanha tomada pelo nazismo foi guiada pelo princípio ético de extinção de quem não fosse daquele jeito. E, para isso, montou-se uma máquina de destruição que convocou pessoas que tinham ciência e tecnologia na cabeça: professores, engenheiros, químicos, psicólogos, médicos, administradores, economistas. Pensam que foi fácil montar uma máquina de eliminar seis milhões de pessoas sem deixar rastro? Pensam que foi fácil ter de contratar técnicos, químicos para bolar um sistema que simulasse que as pessoas estavam indo para um chuveiro e, depois, elas usassem o gás Z e fossem eliminadas? Pensam que foi fácil a logística para transportar milhões de pessoas para que elas chegassem aos campos de concentração?

Foi necessário usar muito conhecimento e ciência para aquilo. Por que um químico, um engenheiro, um professor, um filósofo – e havia também – aderiram àquela ideia? "Sabe o que é? É que, se eu não aderisse, eu seria morto." Lamento. Dezenas morreram, mas não aderiram. Muitas pessoas são íntegras, honestas.

O que é ética? Princípios que você e eu usamos para responder ao "Quero? Devo? Posso?" Insista-se: o que não significa que você e eu não vivamos dilemas. Eles existem, e serão mais tranquilamente ultrapassados quanto mais sólidos forem os princípios que tivermos e a preservação da integridade que a gente desejar.

A ética – sendo aquilo que orienta a minha decisão, o meu julgamento, a minha avaliação – está ligada à sua existência e à minha no dia a dia.

Sábios Xavantes

É necessário cuidar da ética para não anestesiarmos a nossa consciência e começarmos a achar que tudo é normal.

Das histórias que pude partilhar na vida e que, vez ou outra, relato nos diálogos, há uma exemplar que, inclusive, pude já em 1997 incluir em livro meu antes mencionado (*A escola e o conhecimento*), embora mais resumidamente.

Em 1974, dois caciques da nação Xavante vieram visitar a cidade de São Paulo. Na época, os xavantes não usavam o dinheiro como meio de qualidade de vida. Para eles, qualidade de vida era alimento, porque era o jeito de garantir sobrevivência.

O avião deles, que vinha de Cuiabá, pousou em Congonhas e eles foram levados ao abrigo da Funai, que ficava na Vila Mariana. No dia seguinte, foram convidados a passear. Ficaram boquiabertos com a Avenida Paulista, 2,5km de catedrais financeiras. Foram levados a andar de metrô, que acabava de ser inaugurado. Ficaram pasmos com a velocidade daquele transporte. Fo-

ram levados ao *shopping*. Havia apenas dois naquela época, hoje são cerca de sessenta. Sabe o que eles não conseguiram entender no *shopping* e a gente não conseguiu
explicar? Por que a gente entrava num lugar cheio de
espelho. Eles achavam inacreditável que, num mundo
cheio de gente, a gente gostasse de se ver, em vez de ver
o outro. Se você estava com você o tempo todo, por que
ia querer se ver? Esse excesso de espelho é um símbolo
ético também, de certa forma de egonarcisismo, que veio
sobre nós.

Nós os levamos também a um lugar magnífico, o Mercado Municipal, na área central. Aquilo é uma espécie de
entreposto comercial, imenso, projetado por Ramos de Aze-
vedo, grande arquiteto que fez o Teatro Municipal e a Fa-
culdade de Saúde Pública. E no Mercado Municipal é comida para todo o lado. Eles deram dois passos e ficaram
pasmos. Pilhas de alface, de tomates, de cenoura, de la-
ranja. Ficaram com o olhar talvez como o nosso olhar fica-
ria se entrássemos no cofre de um banco. Em certo momento, um deles viu uma coisa que nenhum e nenhuma
de nós veria. Ele cutucou e perguntou: "O que ele está
fazendo?" E apontou no chão um menino negro, pobre (a
gente sabia que era pobre por causa da roupa, ele não sa-
beria) pegando alface pisada, tomate estragado, batata já
moída e colocando num saquinho. Nenhum e nenhuma
de nós veria aquilo, pois para nós era normal. *Normal?*
Cuidado com o conceito de normal.

Nós falamos: "Ué, ele está pegando comida". O cacique não disse mais nada. Ele continuou andando conosco,

mas não prestou atenção em mais nada. Depois de uns 15 minutos, ele falou:

– Eu não entendi. Por que ele está pegando essa comida estragada aqui no chão, se tem essa pilha de comida boa?

– É que para pegar comida dessa pilha aqui precisa de dinheiro.

– E ele não tem dinheiro?

– Não tem.

– Por que não tem dinheiro? – indagava o cacique.

No que ele está cutucando? Na nossa base ética, no nosso valor de vida. A gente acha que uma criança com fome, mesmo diante de uma pilha de comida boa, pode comer comida estragada. Porque a vida é assim. É normal.

– Ele não tem dinheiro porque ele é criança.

– E o pai dele tem?

– Não, o pai dele não tem.

– Não entendi. Por que você, que é grande, tem e o pai dele, que é grande, não tem? De qual pilha você come, dessa daqui ou a do chão?

– Dessa daqui.

– Por quê?

A única resposta possível para o cacique naquele momento foi a resposta que algumas pessoas que já desistiram dão: "Sabe o que é? *É que aqui é assim*"...

Os dois índios, diante da resposta, falaram uma coisa de que eu nunca mais esqueci. "Vamos embora." Não é que eles pediram para ir embora do mercado, eles pediram para ir embora de São Paulo. Veja como eles são "selvagens".

Eles não conseguiram compreender essa coisa tão óbvia: que uma criança faminta, diante de uma pilha de comida boa, pega comida podre. Eles não são "civilizados". Sabe como ele passaria batido e nem repararia na cena? Se ele tivesse sido criado em algumas das nossas famílias, se ele tivesse ido a algumas de nossas igrejas, se ele tivesse frequentado algumas de nossas escolas, se ele tivesse assistido a alguns de nossos meios de comunicação. Aí ele ia achar aquela cena normal.

Neste instante, é bom lembrar que é necessário cuidar da ética porque senão anestesiamos a nossa consciência e começamos a achar tudo normal.

Vou contar uma coisa que você que é jovem pode não acreditar. Quando eu me mudei para São Paulo, há 37 anos, a gente saía da escola, do trabalho, do bar, andava às 11h da noite sozinho para casa, ouvia passos de outra pessoa e sentia alegria. "Graças a Deus, vem vindo outra pessoa." Sabe do que a gente tinha medo? De defunto. A gente passava longe do muro do cemitério, da parte de trás da igreja. Hoje, você sai às 11h da noite de casa, da escola, do trabalho, da igreja, ouve passos de outra pessoa e teme: "Meu Deus do céu, vem vindo outra pessoa". O que aconteceu? Será que nos distraímos em algum momento e a nossa ética não é a da convivência, mas é a do outro como inimigo? "Ah, mas aqui é assim." Violência? "Aqui é assim. Eu já fui assaltado e agora tenho duas bolsas, uma do ladrão e uma minha. A minha fica debaixo do banco. Eu uso carro blindado."

Claro. Nós vamos criando meios de nos acostumar-
mos ao normal.

Normal?

Opção pela perenidade

Empresas que têm uma visão estratégica de futuro estabelecem fortes conexões entre ética e negócios.

Você para no posto de gasolina para abastecer o carro da empresa. Na hora que você vai pedir a nota, o caixa diz:

– De quanto você vai querer a nota?

– Eu quero a nota do que gastei – você responde. E o caixa, com um sorriso maroto, devolve a pergunta:

– Ah é, e quanto você gastou?

É óbvio que ali você tem um sistema de apodrecimento da relação. Por que eu tenho de responder ao "Quero? Devo? Posso"? O ponto central aqui é o dever, porque o querer e o poder estão na relação direta, se você imaginar a ética com o dever. No entanto, o dever estará sempre relacionado aos princípios. Há empresas que têm determinados princípios dos quais ela não abre mão. Por exemplo, ela não admite que haja qualquer trabalhador, seja por parceria ou por contratação própria, que não esteja vinculado a um registro ou seja cooperativado. Algumas empresas usam o trabalho infantil. Outras, não. Há empresas que têm o princípio de que lugar de criança é na escola. E que não se confunda comunidade rural familiar – em que a criança tem que ajudar para a família sobreviver como um todo – com exploração do trabalho infantil, que é colocar menino de 12, 13 anos em carvoaria ou em outros lugares, fora da escola, para ser submetido a uma jornada cruel, e assim por diante.

Cuidado quando se fala em ética e no "Quero? Devo? Posso?", muita gente pensa só nos políticos. Todo ano, 29 de abril é o "dia nacional dos dilemas éticos". É o último dia do pagamento do Imposto de Renda da pessoa física. Paga ou não? Há alguns anos, existia uma coisa "ótima": comprar recibo. Chegava alguém e propunha: "Eu tenho um parente dentista e ele vende recibo. Ele está lá com talonário, ele paga e você paga 10%".

E tem gente que, ao assistir TV, diz indignado: "Mas que governo? Que coisa suja". Mas é ele que alimenta, que financia essa lógica. É o próprio cidadão. Aliás, não tem ninguém sentado no Congresso Nacional que tenha comprado aquele lugar. O parlamentar foi conduzido para lá por pessoas como nós, que votaram nele. Ele não tomou o lugar.

Você e eu vivemos os dilemas: "Pago ou não pago o imposto? Compro o recibo? Declaro todas as fontes?" Tem dias que eu quero produzir evasão fiscal. Devo? Não devo. Posso? Cada dia menos. Porque agora há todo um controle informatizado, que vai cercando os nossos princípios éticos. Aí você começa a ter um novo princípio ético de conduta, que é *paura*, ou seja, o medo de ser pego. Quanto maior a impunidade, mais os princípios ficam frouxos. Quanto maior o controle, o cuidado com o cuidado, o *compliance*, mais você tem princípios que são sólidos.

Por que temas como transparência na gestão, responsabilidade social, ética empresarial e governança corporativa passaram a ser mais frequentes no mundo das organizações?

Sobretudo por conta de dois fatores. Primeiro, uma parcela significativa de empresas lançou ações em bolsas de valores. Ao abrir seu capital, tiveram de se submeter a controles públicos em relação à sua lisura, transparência e honestidade. O segundo motivo é que em sociedades abertas e democráticas, como a brasileira, cresce a rejeição a empresas que têm como lema "fazemos qualquer negócio".

Há empresas que têm uma visão estratégica de futuro, em que há uma conexão muito forte entre ética e negócios. Há outras, no entanto, que encaram a ética como cosmética e transformam a responsabilidade social em mero mecanismo de fachada. Essas correm um risco muito grande. Inclusive perante seus funcionários. Mais do que qualquer outro público, os funcionários podem dizer se o compromisso da empresa é real ou apenas de fachada.

Ao proclamar uma coisa e praticar outra, a empresa expõe-se ao risco de que seus funcionários enxerguem incoerência em sua conduta. A empresa séria pratica o que divulga e não admite que a ética seja mero instrumento de propaganda. Só assim se conquista respeito e credibilidade.

Aquelas corporações que se envolvem em acidentes ambientais, que não fazem a manutenção adequada de seus equipamentos, que entregam produtos fora da especificação ou que submetem seus empregados a condições indignas de trabalho têm vida curta na sociedade atual.

"Lembra-te que és mortal"

Um poder que se serve, em vez de servir, é um poder que não serve.

Os romanos na Antiguidade tinham um hábito muito importante: todas as vezes que um general, um líder importante, voltava de uma dura batalha com uma retumbante vitória, ele entrava na cidade de Roma e tinha que deixar o exército do lado de fora, num grande campo aberto, que era chamado de Campo de Marte – dedicado ao deus da guerra. O general subia numa biga, aquele carro de combate com dois cavalos, conduzida por um escravo. O líder se apoiava na lateral da biga para ser aclamado pelo povo. E atravessava toda a cidade de Roma até o senado, onde seria agraciado com a maior honraria que um general poderia receber naquela época: uma bandeja com folhas de palmeira em cima. Era uma honra inacreditável. Tanto que, contam os cristãos, no Domingo de Ramos se faz um tapete com folhas de palmeira para Jesus de Nazaré. Qual o outro nome que a gente dá em português para uma bandeja de prata? Salva. Portanto, o general ia receber no senado uma salva de palmas. Com o tempo, a salva de palmas foi substituída por aplausos, dado que as nossas mãos parecem mesmo com folhas de palmeira.

O general ia em direção ao senado e, por lei, um segundo escravo acompanhava a biga a pé. Esse segundo escravo tinha uma obrigação legal: a cada quinhentas jardas, ele tinha que subir na biga e soprar no ouvido do general a seguinte frase: **"Lembra-te que és mortal"**. A biga se deslocava mais quinhentas jardas, e ele sussurrava novamente o alerta.

Já imaginou? Tem gente que precisaria de alguém com cargo e função que, ao menos uma vez por semana, grudasse nele e dissesse: "Lembra-te que és mortal".

Isso serve para nós, humanos, que muitas vezes nos orgulhamos de um poder estranho, o poder sobre a natureza, o de domar os rios, o de construir, o poder sobre as pessoas. A finalidade central do poder é servir. **Eu costumo dizer que um poder que se serve, em vez de servir, é um poder que não serve**. Uma das questões centrais da ética é regularmos as nossas relações de maneira que o poder possa servir em vez de se servir. Nós somos um animal tão arrogante que nem aceitamos sermos chamados de animal. Algumas pessoas acham que tem "gente que vale" e "gente que vale menos": minigente, nanogente, subgente. Gente que é menos, por causa da cor da pele, do sotaque que usa, do dinheiro que carrega, da escolaridade que tem, do cargo que ocupa, do país que nasceu, da religião que pratica.

Quando alguém tem essa postura, o reflexo na ética é muito forte. Ética não é uma fachada que você ou eu usamos. Quando uma pessoa discute ética, quando uma empresa traz o tema à tona, ela manifesta uma coragem em assumir que a discussão sobre ética não é uma discussão cínica, na qual fingimos aderir. É uma coisa séria. Afinal de contas, se estamos falando em ética, estamos falando na capacidade de supormos que existem relações entre as pessoas que têm de preservar a dignidade do outro e a sua própria dignidade.

O que é um ser humano? Quem somos nós? Quem sou eu para dizer assim: "Sabe com quem está falando?" Quem sou eu para achar que posso fazer o que eu quiser nos negócios, na política? Quem sou eu para achar que posso praticar a corrupção, o desvio, a quebra ética? Quem sou eu para achar que eu sou mais e, os outros, menos?

Há pessoas que apequenam a vida, apequenam com o preconceito, apequenam com a arrogância, apequenam com a venda da própria alma. O que você responde quando alguém pergunta: "Você sabe com quem está falando?" Qual seria uma resposta possível? Poderíamos responder o que é um ser humano? Há várias respostas, uma delas, a clássica, de Aristóteles, do século IV a.C.: "O homem é um animal racional". Ou Pascal, do século XVI, que disse: "O homem é um caniço pensante", uma coisa frágil e volúvel pensante, ou a definição de que mais gosto, que é de Fernando Pessoa, que diz: "O homem é um cadáver adiado".

A ética é a proteção da integridade, é a capacidade de ter princípios. A ética é a capacidade de saber, sim, que dilemas vivemos – na família, no trabalho, na empresa, na concorrência –, mas que isso está ligado a que princípios nós defendemos.

É preciso colocar em destaque uma frase do grande beneditino francês, que escreveu *Gargântua, Pantagruel*, no século XVI, François Rabelais, que disse: **"Conheço muitos que não puderam quando deviam porque não quiseram quando podiam"**.

Se a gente pode e a gente quer, a gente deve.

CULTURAL

Administração
Antropologia
Biografias
Comunicação
Dinâmicas e Jogos
Ecologia e Meio Ambiente
Educação e Pedagogia
Filosofia
História
Letras e Literatura
Obras de referência
Política
Psicologia
Saúde e Nutrição
Serviço Social e Trabalho
Sociologia

CATEQUÉTICO PASTORAL

Catequese
Geral
Crisma
Primeira Eucaristia

Pastoral
Geral
Sacramental
Familiar
Social
Ensino Religioso Escolar

TEOLÓGICO ESPIRITUAL

Biografias
Devocionários
Espiritualidade e Mística
Espiritualidade Mariana
Franciscanismo
Autoconhecimento
Liturgia
Obras de referência
Sagrada Escritura e Livros Apócrifos

Teologia
Bíblica
Histórica
Prática
Sistemática

VOZES NOBILIS

Uma linha editorial especial, com importantes autores, alto valor agregado e qualidade superior.

REVISTAS

Concilium
Estudos Bíblicos
Grande Sinal
REB (Revista Eclesiástica Brasileira)
SEDOC (Serviço de Documentação)

VOZES DE BOLSO

Obras clássicas de Ciências Humanas em formato de bolso.

PRODUTOS SAZONAIS

Folhinha do Sagrado Coração de Jesus
Calendário de Mesa do Sagrado Coração de Jesus
Folhinha do Sagrado Coração de Jesus (Livro de Bolso)
Agenda do Sagrado Coração de Jesus
Almanaque Santo Antônio
Agendinha
Diário Vozes
Meditações para o dia a dia
Guia do Dizimista
Guia Litúrgico

CADASTRE-SE
www.vozes.com.br

EDITORA VOZES LTDA.
Rua Frei Luís, 100 – Centro – Cep 25689-900 – Petrópolis, RJ – Tel.: (24) 2233-9000 – Fax: (24) 2231-4676
E-mail: vendas@vozes.com.br

UNIDADES NO BRASIL: Aparecida, SP – Belo Horizonte, MG – Boa Vista, RR – Brasília, DF – Campinas, SP
Campos dos Goytacazes, RJ – Cuiabá, MT – Curitiba, PR – Florianópolis, SC – Fortaleza, CE – Goiânia, GO
Juiz de Fora, MG – Londrina, PR – Manaus, AM – Natal, RN – Petrópolis, RJ – Porto Alegre, RS – Recife, PE
Rio de Janeiro, RJ – Salvador, BA – São Luís, MA – São Paulo, SP
UNIDADE NO EXTERIOR: Lisboa – Portugal